PENSER L'ISLAM

MICHEL ONFRAY
avec la collaboration d'Asma Kouar
pour l'entretien

PENSER L'ISLAM

BERNARD GRASSET
PARIS

Photo de couverture : © Deanna Truesdale / EyeEm / Gettyimages

ISBN : 978-2-246-85949-9

« Les eaux de la religion s'écoulent et laissent derrière elles des marécages ou des étangs. »

Nietzsche,
Considérations inactuelles III.

« Petit est le nombre de ceux qui réfléchissent. »

Coran, XL.58.

Penser en post-République

Il y a longtemps qu'une grande partie de la presse politiquement correcte a le désir de me faire la peau. Je ne suis d'aucun sérail, d'aucune coterie, d'aucune tribu, et je ne dois ce que je suis qu'à ce que mes livres ont fait de moi depuis que Grasset m'a fait confiance en publiant mon premier manuscrit envoyé par la poste en 1988. Par obligation professionnelle, je fréquente la France d'en haut, bien que venant de la France d'en bas et, péché mortel en post-République, je souhaite rester fidèle à cette France maltraitée. Depuis qu'en 1983, avec le tournant de la rigueur, François Mitterrand a commencé à étrangler le socialisme, mort et enterré depuis, quiconque reste fidèle à l'idée socialiste, comme moi, est vilipendé par ceux qui, ayant épousé les trahisons de la gauche, prétendent lui être restés fidèles.

Mitterrand a trahi deux fois la gauche :
une première fois en 1983 en annonçant une
politique de rigueur sur laquelle la gauche
gouvernementale n'est jamais revenue. Ce
choix a accéléré le processus d'effacement de
la gauche non-marxiste et renvoyé les déçus
de celle-ci dans les bras d'une gauche néo-
marxiste qui, performance historique, réussit
à décevoir sans même exercer le pouvoir.

Cette trahison de la gauche a généré une
montée en puissance du Front national qui
est désormais le premier parti en France
et le point focal en regard duquel tous les
hommes politiques se déterminent. On le sait,
l'homme qui, au congrès d'Épinay, voulait en
finir avec le capitalisme, a instrumentalisé le
FN pour casser la droite en deux et assurer
son maintien au pouvoir : pari gagnant pour
lui, il fut deux fois élu, pari perdant pour
la France, elle fut deux fois humiliée. Pari
perdant aussi pour la gauche gouvernementale qui, depuis, pense comme Giscard en
économie et comme Bush I & II en politique
étrangère.

Faut-il attendre une autocritique de cette
gauche mitterrandienne ? Jamais de la vie ! En
France, on chérit la contrition, pourvu que

ce soit celle d'autrui. Ce FN créé par elle est désormais décrété toujours par elle fasciste, néonazi, antisémite, nauséabond, d'extrême droite, ce qui permet à cette gauche de droite d'éviter de reconnaître son rôle dans la création de cette monstruosité française.

Dénoncer cette entreprise qui désigne le doigt du FN afin de ne pas regarder les méfaits de la lune libérale, c'est faire le jeu du FN... J'ai dénoncé cette imposture intellectuelle, j'ai donc fait le jeu de Marine Le Pen ! *Libération*, qui fait beaucoup pour Le Pen en soutenant ces trahisons initiées en 1983, a plus qu'un autre média intérêt à me rendre responsable de ce dont il s'avère coupable. Je continuerai à dénoncer ces impostures. Ils continueront donc à me traiter de fasciste, d'antisémite, d'islamophobe, puis d'islamophile, enfin de compagnon de route de l'État islamique... Plus c'est gros, mieux ça passe !

Or ce FN est une fiction, une baudruche, un leurre, un chiffon rouge qui excite les médias, trompe le peuple et ne doit pas abuser quiconque persiste à vouloir penser le FN comme on pense n'importe quel autre objet.

Le goût que Marine Le Pen et Jean-Luc Mélenchon ont affiché pour Syriza montre ce

qu'il adviendrait de la France s'ils devaient
la diriger : après le mouvement de menton
des cadors, les tribuns baisseraient d'un ton
et finiraient comme Tsipras en Grèce – un
zombie de l'Europe libérale, un révolté crucifié sur le bois du marché, un rebelle devenu
l'esclave de ce qu'il conchiait. Le temps n'est
plus à l'espoir ou à l'optimisme mais au réa-
lisme et à la sagesse tragique : le bateau coule.
Voilà tout. On ne renfloue pas le *Titanic*.

La seconde trahison de Mitterrand date de
1991 : celle de 1983 concernait la politique
intérieure ; celle de 1991 la politique étrangère. Mitterrand qui se fit filmer au Panthéon
en 1981 fleurissant de rouge la tombe du
pacifiste Jaurès a abandonné la tradition pacifiste de la gauche française pour emboîter le
pas au bellicisme de la famille Bush.

Depuis, hormis la parenthèse Chirac-
Villepin, la France a été de tous les bombardements des pays décrétés voyous. Il se
fait qu'il s'agissait de pays musulmans et que
la France a contribué à la mort de quatre
millions de musulmans. Mes sources ? Le
politologue britannique Nafeez Ahmed qui
travaille à la BBC et au *Guardian*. Il dirige
également l'Institute for Policy Research

and Development de Brighton, et enseigne à l'université du Sussex. Quatre millions de morts musulmans, voilà qui compterait pour rien ?

Peut-on imaginer que ce reniement de la tradition pacifiste de la gauche ait été sans relation avec le fait que la France soit devenue le terrain d'une guerre menée par certains de ses ressortissants musulmans intégristes qui se réclament de l'État islamique ? À moins que le terrorisme descende du ciel des idées dans lequel flottent nos consciences nationales qui prennent les moulins à vent pour des chevaliers !

Pour l'avoir dit, j'ai été sali, insulté, traité de tous les noms. Il est vrai que depuis que Manuel Valls, Premier ministre en exercice, estime que *comprendre c'est excuser*, il n'y a plus que le bûcher ou la prison comme avenir pour les philosophes et les sociologues, les psychologues et les psychanalystes, les démographes et les historiens qui sont autant de généalogistes ! Le même destin est promis aux rares journalistes qui voudraient encore honorer leur métier en refusant la caporalisation idéologique qui est leur lot en régime libéral.

Ces campagnes de calomnies contre moi ont été sans nom : j'étais coupable de ce que je disais, coupable du ton sur lequel je l'avais dit, coupable aussi de ce que je n'avais pas dit, en fait, *coupable d'être*, purement et simplement, et de faire mon métier de philosophe dans une société où le mot d'ordre « socialiste » n'est plus *réfléchissons*, c'est interdit par Valls, mais *obéissez*, c'est ordonné par le même.

Comme fin 2015 il me fallait parler sous les crachats, penser sous les insultes, réfléchir sous les injures, analyser sous les invectives, j'ai souhaité surseoir à la publication de *Penser l'islam* à la date prévue car c'était celle de la commémoration du premier anniversaire des attentats de janvier. Penser à l'heure où je savais qu'il n'y aurait place que pour allumer des bougies et déposer des peluches sous la statue de la place de la République était hors de question.

La presse fit ses choux gras d'une *diète médiatique* qui n'a jamais été ma formule. Passons… Surseoir n'est pas renoncer, mais attendre l'instant propice. J'ai donné mon accord pour des traductions à l'étranger. Début février 2016, le *Corriere della Sera* a édité mon texte. Nul doute qu'après cette parution en Italie, des morceaux de mon livre allaient être mal traduits et vite interprétés par tel ou tel journaliste de la presse française. Voilà pour quelles raisons je sursois au sursis.

Je ne me fais pas d'illusions sur les réceptions malveillantes. Si j'avais l'envie du pastiche j'écrirais déjà les textes que publieront ceux qui ne m'auront pas lu, mais diront qu'ils avaient bien raison de faire de moi un penseur qui fait le jeu de Marine Le Pen.

Je reste fidèle à la gauche d'avant 1983 en matière de politique intérieure et d'avant 1991 en matière de politique étrangère. Une gauche sociale et socialiste ; une gauche pacifique et pacifiste. Je crois que cette gauche-là n'est plus possible dans le cadre institutionnel. C'est un autre sujet. Ma fidélité s'appelle trahison chez les traîtres. Mais les traîtres à la gauche sont pour moi quantités négligeables.

Je pense au peuple sacrifié ; je reste à ses côtés. Ceux de gauche qui l'ont immolé sur l'autel du libéralisme depuis plus de trente ans me traiteront de démagogue. Je n'attends rien d'autre d'eux. Démagogue est le nom qu'ils donnent désormais au carré de démocrates qui subsiste.

Préface

Quand Asma Kouar, journaliste algé-
rienne, m'a sollicité sur la question de l'islam pour le journal *Al Jadid*, j'ai répondu
à ses questions jusqu'à réaliser qu'il y avait
là matière à un petit livre. Non pas un
livre de spécialiste en islam, mais le livre
d'un citoyen pour qui l'islam est une question philosophique tout autant que le livre
d'un philosophe pour lequel l'islam est une
question citoyenne. Penser l'islam n'a besoin
d'aucune autre légitimation que l'envie de le
penser librement.

J'y ai ajouté une préface pour contextualiser
mon propos. J'ai pour ce faire cité quelques
articles parus, ou non, dans la presse. Certains se répètent. J'ai gardé les répétitions
pour éviter d'amputer le texte et d'abîmer

son sens. Que le lecteur veuille me pardonner ces bégaiements.

M. O.

Introduction

Ni rire ni pleurer mais comprendre

La France a décidé d'intervenir militairement au Mali en janvier 2013. J'étais contre cette intervention comme je fus contre celles qui avaient été décidées en Afghanistan, en Irak, en Libye. Comme je le suis aujourd'hui contre celle qui vise l'État islamique. Quelques mois plus tard, j'ai rédigé un texte intitulé *Les Guerres coloniales contemporaines*. Je l'ai proposé au quotidien *Le Monde* le 11 novembre 2014 à 12 h 33.

Le journal m'a répondu le 12 novembre 2014 à 16 h 40 :

> *Monsieur,*
> *L'équipe des pages* Débats *a bien reçu votre point de vue. Nous l'avons lu attentivement et nous vous remercions de l'intérêt que vous portez aux pages* Débats *du* Monde.
> *Nous souhaiterions que vous nous réserviez votre article.*

Dès qu'une date sera fixée pour sa parution dans le quotidien et/ou sur son site, nous vous en informerons.

Recevez, Monsieur, l'assurance de toute notre considération.

L'équipe des Débats.

Le texte n'est jamais paru

★

Le voici

*LES GUERRES COLONIALES
CONTEMPORAINES*

La France fait la guerre et il semble qu'elle aime ça. De la même manière qu'en 14-18 la propagande opposait la barbarie boche à la civilisation gauloise qu'il fallait faire triompher, nos communicants contemporains opposent les droits de l'homme français à la nouvelle barbarie identifiée à l'islam. Il est étonnant qu'en France, dans les médias et dans la classe politique qui se partage le pouvoir depuis un demi-siècle, l'islam bénéficie d'un jugement favorable (la fameuse religion de paix, de tolérance et d'amour...) alors que les mêmes justifient qu'on tue des populations innocentes en prétendant viser les seuls combattants dans des frappes dites chirurgicales contre un islam local qui mettrait en péril notre pays sous prétexte de terrorisme.

À qui peut-on faire croire qu'hier le régime des Talibans en Afghanistan, celui de Saddam Hussein en Irak ou de Kadhafi en Libye, aujourd'hui celui des salafistes au Mali ou du califat de l'État islamique menaçaient réellement la France avant que nous ne prenions l'initiative de les attaquer ? Que maintenant, *depuis que nous avons pris l'initiative de les bombarder, ils ripostent, c'est, disons, de bonne guerre ! Mais on confond la cause et la conséquence : les régimes islamiques de la planète ne menacent l'Occident que depuis que l'Occident les menace. Et nous ne les menaçons que depuis que ces régimes aux sous-sols intéressants pour le consumérisme occidental ou aux territoires stratégiquement utiles pour le contrôle de la planète manifestent leur volonté d'être souverains chez eux. Ils veulent vendre leur pétrole ou les produits de leurs sous-sols à leur prix et autoriser leurs bases à leurs seuls amis, ce qui est parfaitement légitime, le principe de la souveraineté des pays ne souffrant aucune exception.*

Si les droits de l'homme étaient la véritable raison des attaques françaises aux côtés, comme par hasard, des États-Unis, pourquoi n'attaquerions-nous pas les pays qui violent les droits de l'homme et le droit international ? Pourquoi ne pas bombarder la Chine ? Cuba ? L'Arabie Saoudite ? L'Iran ? Le Pakistan ? Le

*Qatar ? Ou même les États-Unis qui exécutent
à tour de bras, sinon Israël que les résolutions
de l'ONU condamnent depuis si longtemps
pour sa politique de colonisation dans les territoires palestiniens ? Il suffit de lire le rapport
d'Amnesty International pour choisir ses cibles,
elles ne manquent pas...*

*Cessons là. Les droits de l'homme ne sont
qu'un prétexte pour continuer le colonialisme
sous le prétexte politiquement correct de l'huma-
nitaire ou celui, politiquement rentable, d'apaiser les peurs de nos concitoyens. Le droit d'ingérence théorisé par Kouchner permet à l'Occident
de continuer sa politique impérialiste sans en
avoir l'air.*

*Si danger de terrorisme islamique il y a sur
le territoire français, et il y a désormais, c'est
parce que ceux que nous avons agressés ripos-
teront à nos agressions. Nous devrions réserver
nos guerres au strict cas défensif avéré. Attaquer en disant que l'on agit de manière préventive est une sophisterie qui n'abuse que les
victimes de l'idéologie dominante. L'islam, qui
ne cache pas sa nature belliqueuse et conqué-
rante, mérite une autre politique internationale
que celle du canon. Cette politique alternative
aurait des effets en France. Le premier d'entre
eux serait peut-être d'écarter la menace terroriste...*

★

Quand j'écris dans ce texte hélas pré-
monitoire : « Que *maintenant*, depuis que
nous avons pris l'initiative de les bombarder, ils ripostent, c'est, disons, de bonne
guerre ! », la riposte du « 7 janvier » n'a pas
encore eu lieu. Elle a eu lieu, chacun le sait
désormais.

Le matin de ce jour funeste, entre 8 et
9 heures, Michel Houellebecq était l'invité
de la matinale de France Inter, grand-messe
quotidienne du politiquement correct. J'ai
écouté ce rendez-vous où l'animateur a présenté le romancier qui imaginait un monde
sous forme romanesque en monstre qui pro-
duirait cette réalité si par malheur elle devait advenir. Qu'elle advienne, c'était évident
pour qui avait le sens des faits, du réel, de la
réalité et de l'histoire. Question de temps. Le
temps fut plus court que prévu puisque Michel Houellebecq parlait trois petites heures
avant le drame.

Une « comique » fit son billet d'humeur
peu avant le journal de 9 heures. Quand elle
se présente fardée avec l'humour comme une
pauvresse qui fait le trottoir, l'idéologie peut
tout se permettre. À l'antenne, celle qui est
payée avec l'argent du service public pour

faire rire en remettait une couche, le propre
de toute propagande. Elle prophétisa que
ceux qui, avec leur *soumission* à la Houellebecq, leur *suicide français* à la Zemmour,
leur *identité malheureuse* à la Finkielkraut, ou
leur *raison populaire* à la... Onfray, seraient
tenus pour responsables de ce qui adviendrait ! Houellebecq était donc jugé coupable
du prochain attentat antisémite commis par
un musulman intégriste. C'est comme si l'on
avait rendu Zola responsable de la condition
des mineurs, Proust de l'effondrement de
l'aristocratie, Céline de la guerre de 14-18,
Malraux de la guerre d'Espagne et Sartre
de la nausée !

La jeune dame qui n'avait pas été drôle,
mais qui avait distillé l'idéologie de la chaîne
avec sarcasmes, ironie, cynisme et malveil-
lance, m'avait ensuite envoyé un mot d'excuse
sans que j'aie eu besoin de m'émouvoir de
ses propos à mon endroit – j'ai désormais
l'habitude de la haine et des contre-vérités sur
le service public... Elle eut du moins l'honnê-
teté, puis l'élégance, de reconnaître qu'à mon
endroit elle s'était trompée et avait commis
une « grande maladresse » – ne chipotons pas
sur les mots...

S'il faut utiliser ce mot, il y en eut aussi
à l'endroit de Houellebecq, Zemmour, Finkielkraut. Le journaliste n'est jamais pris
pour responsable de la mauvaise nouvelle
qu'il annonce, et c'est heureux. Qu'on laisse
donc les romanciers, les essayistes et les
philosophes faire leur travail et penser le
réel (même s'ils se trompent, les journalistes
se trompent aussi, même après que le réel
a eu lieu…) avec un peu d'avance sur les
journalistes qui auront toujours du retard
sur lui.

À l'heure du déjeuner, aux cris de «*Allahou
Akbar!*» et de «On a vengé le Prophète!»
– tout le monde les a entendus dans le film
montré en boucle –, deux Français musulmans intégristes ravagent par le feu la rédaction de *Charlie Hebdo*. En dix minutes,
l'élite du dessin de presse politique français
baigne dans son sang. La France se trouve
face à son histoire ; pas sûr que l'événement
ait soudainement donné le sens de l'histoire
aux journalistes et aux hommes politiques
qui ont suppléé au défaut d'analyse politique
et de décision stratégique et tactique par le
compassionnel résumé dans le slogan «Je
suis Charlie». Les médias se nourrissant plus

de compassionnel que d'idées et d'analyse, l'événement leur fut, hélas, une abominable bénédiction.

★

Le Point, qui voulut fournir l'occasion de penser l'événement le plus vite possible, lui a consacré un numéro spécial. Ce qui advenait le mercredi devenait une revue en kiosque le samedi. Performance professionnelle. De sorte que ce qui fut publié a été écrit par chacun à chaud, en direct.

Ma contribution a été envoyée à Christophe Ono-dit-Biot le 7 janvier à 22 h 56. La voici :

MERCREDI 7 JANVIER 2015 : NOTRE 11 SEPTEMBRE

Il est 11 h 50 ce mercredi 7 janvier 2015 quand arrive sur l'écran de mon portable cette information qu'une fusillade a lieu dans les locaux de Charlie Hebdo. *Je n'en sais pas plus, mais que des tirs nourris aient lieu dans la rédaction d'un journal est de toute façon une catastrophe annoncée.*

Au fur et à mesure, j'apprends avec conster-nation l'étendue des dégâts ! Cabu, Charb,

Wolinski, Tignous, Bernard Maris… On annonce dix morts, deux policiers, des blessés en nombre, « une boucherie » est-il dit… À 12 h 50, j'ai tweeté « Mercredi 7 janvier 2015 : notre 11 septembre », car je crois en effet qu'il y aura un avant et un après. Les choses ne font que commencer.

Charlie Hebdo *est, avec* Siné Hebdo *ou* Le Canard enchaîné, *l'honneur de la presse : car un journal satirique, et il m'arrive d'en faire régulièrement les frais, n'épargne rien ni personne, et c'est tant mieux. Ce sont des supports libres parce qu'ils vivent de la fidélité de leurs lecteurs. Sans publicité, ils n'ont aucun riche annonceur à ménager, aucun actionnaire à flatter, aucun propriétaire milliardaire à satisfaire. Ils ne roulent pour aucun parti, aucune école, aucune chapelle : au sens étymologique, ils sont libertaires.*

Sur les religions en général, et l'islam en particulier, cette presse dit tout haut avec humour, ironie ou cynisme, ce que beaucoup pensent tout bas. La satire leur permet de dire ce que le politiquement correct de notre époque interdit de faire savoir. En ouvrant les pages du journal, on pouvait se lâcher et rire d'autant plus joyeusement que, sur les questions de religion, dans le restant de la presse, on peut crucifier le chrétien, c'est même plutôt bien porté, mais il faut épargner les rabbins et les imams. À Charlie, *la soutane, la kippa et la burqa sont également moquées – faudra-t-il écrire étaient ?*

Rivé devant ma télévision, sidéré, je prends des notes. J'assiste à un raccourci de ce qui fait notre époque : avant 13 heures, un journaliste égyptien parle à iTélé, il précise avec fermeté qu'on va encore mettre tout cela sur le dos des musulmans ! Même à cette heure, l'attentat ayant lieu à Charlie, *le journal qui a publié les « caricatures » de Mahomet et qui est menacé pour cela depuis des années, je vois mal comment on pourrait incriminer Raël ou les véganes ! Mais, déjà pointe l'insulte islamophobe contre quiconque va affirmer que le réel a eu lieu !*

Les éléments de langage probablement fournis par les communicants de l'Élysée invitent à dépolitiser les attentats qui ont eu lieu avant Noël : des fous, des déséquilibrés, des dépressifs fortement alcoolisés au moment des faits. Même s'ils crient « Allahou Akbar *» avant d'égorger un policier, ça n'a rien à voir avec l'islam. Les familles des tueurs en rajoutent en protestant de la gentillesse de leur fiston criminel et l'on passe en boucle leur témoignage. Qui dit vrai ? Ainsi, pour prendre un exemple,* Rue 89 *parle de « l'attaque présentée (*sic) *comme terroriste (re-*sic*) » à Joué-lès-Tours... Dormez, bonnes gens. Circulez, il n'y a rien à voir...*

iTélé, 13 heures. Une journaliste nous dit que François Hollande a précipitamment quitté l'Élysée et qu'on l'a vu « dévaler les escaliers en compagnie de son conseiller en communication » ! Je me frotte les yeux. Non pas le ministre de l'Intérieur, ou le chef d'état-major des armées, non, mais Gaspard Gantzer – son conseiller en communication! Hollande arrive sur place, il enfile des perles de rhétorique. Il repart. Dans la voiture, probable débriefing avec le conseiller en communication.

La dépêche de l'AFP tombe : l'un des tueurs a crié « On a vengé le Prophète ». Plus tard, une vidéo passe en boucle et on entend très bien cette phrase. Le journaliste égyptien n'est plus là pour nous dire que ça n'a rien à voir avec l'islam, mais c'est ce que diront nombre d'autres personnes qui se succèdent à l'écran.

C'est d'ailleurs très exactement le propos de l'imam de Drancy Hassen Chalghoumi. Pas un journaliste pour lui rappeler qu'en septembre 2012, lors de la parution des caricatures dans Charlie, *ce fameux imam tout-terrain et judicieusement judéo-compatible, avait trouvé l'attitude du journal « irresponsable »... Le même Hassen Chalghoumi se fend d'un : « Nous sommes les premières (*sic*) victimes » sur LCI à 14 h 7. En effet, les musulmans sont les premières victimes et passent avant Cabu, avant Charb, avant Wolinski, avant Tignous, avant Bernard Maris, avant les deux policiers, avant les blessés en nombre... Avant leurs familles, avant leurs enfants, avant leurs amis.*

La litanie du « ça n'a rien à voir avec l'islam » continue. Droite et gauche confondues. Avec quoi alors ? Il n'est pas même possible de dire que ça a à voir avec un dévoiement de l'islam, avec une défiguration de l'islam, avec une fausse et mauvaise lecture de l'islam ? Non : rien à voir, on vous dit. C'est comme l'État islamique qui n'a tellement rien à voir avec l'islam qu'il faut dire Daesh, parole de Fabius. Dès lors, l'État islamique ne massacre pas puisque, comme la théorie du genre, ça n'existe pas ! Daesh, on vous dit. Mais que veut dire Daesh ? C'est l'acronyme d'« État islamique » en arabe. Abracadabra…

La classe politique continue son show. Sarkozy intervient. Drapeau français, drapeau européen, fond bleu, nul sigle UMP : il se croit toujours président de la République ! Il invite à « éviter les amalgames » mais il ne dit pas avec quoi ! Malin…

14 h 21 sur LCI, Mélenchon intervient : « Le nom des meurtriers est connu : lâches, assassins » ! Tudieu, quel talent pour éviter… les amalgames ! Sarkozy verbigère : les criminels seront poursuivis, châtiés avec une extrême sévérité, il parle de fermeté absolue, de barbarie terroriste, de violence aveugle, il invite à ne pas céder. Les éléments de langage de tout politique qui n'a rien à dire et donne dans le compassionnel – c'est bon pour la cote, dirait le conseiller en communication. Et puis, toujours la cote de popularité, on invite à l'unité nationale ! Bayrou, Julien Dray, etc., tous entonnent le même psaume.

LCI, 15 h 5, Emmanuelle Cosse, secrétaire d'Europe Écologie-Les Verts invite à… éviter

*l'amalgame. Mais on ne sait toujours pas
avec quoi. Elle déplore l'absence de débats et
déplore plus encore ceux qui veulent un débat
pour savoir ce qu'il en est de l'amalgame ! Ça
sent le coup de pied de l'âne à Zemmour ou
Finkielkraut ! Le Parti socialiste dispose d'une
riposte à la mesure de la boucherie : « une
marche des républicains » ! En effet, c'est une
réponse politique à la hauteur des événements.
Gageons que le président de la République, qui
doit parler à 20 heures, volera dans la même
stratosphère politique.*

*Un bandeau défile en bas de mon écran :
Marine Le Pen dénonce « un attentat terroriste
commis par des fondamentalistes islamistes ».
Pourquoi une fois de plus le personnel politique, suicidaire, lui laisse-t-il le monopole des
mots justes sur des situations que tout le monde
comprend ? C'est en effet « un attentat terroriste » et il a été effectivement perpétré « par
des fondamentalistes islamistes ». Quiconque le
dira désormais va passer pour un lepéniste !
Le musulman qui n'est pas fondamentaliste se
trouve ainsi épargné, et c'est très bien ; on dit
donc en quoi ça a à voir avec l'islam parce que
ça en est la version radicale et armée, brutale
et littérale ; on laisse entendre qu'il faut lutter
contre cette formule-là et rassembler tous ceux
qui sont contre, y compris les musulmans ; et on
dit d'un attentat terroriste que c'est un attentat
terroriste. Le succès de Marine Le Pen vient
beaucoup du fait que, mis à part ses solutions*

dont je ne parle pas ici, elle est en matière de constats l'une des rares à dire que le réel a bien eu lieu. Hélas, j'aimerais que cette clarté sémantique soit aussi, et surtout, la richesse de la gauche.

Les commentaires tournent en boucle. Mêmes images, mêmes mots, mêmes derviches tourneurs. Pas d'amalgames, ça n'a rien à voir avec l'islam, actes barbares... Des manifestations s'annoncent dans toute la France. Je suis sollicité par des journalistes français, télés et radios, je suis en province, pas question d'aller à Paris. Entretiens avec deux journalistes italiens, demande de Skype avec le Danemark, calage avec la Suisse pour une heure de direct le lendemain matin à 7 heures. La France regarde le monde : est-ce que Hollande va annoncer quelque chose qui soit à la hauteur ?

Les rues sont remplies. Besancenot est à la télévision. « Pas d'amalgames ou de récupération politicienne », dit-il. Mais aussi : « Rien à voir avec une quelconque idée religieuse. » Comme les autres hommes politiques. Les foules se constituent.

Sous mes fenêtres, à Caen, un immense ruban silencieux, immense, immense. Une foule considérable et silencieuse. Je suis au téléphone avec une journaliste de La Repubblica. *Je regrette. J'aurais voulu être en bas, avec eux, dans la foule, anonyme, silencieuse et digne. Mais je m'imagine plus utile à répondre autant que faire se peut aux sollicitations qui ne cessent d'arriver par téléphone.*

Je rêve un peu : j'imagine que Hollande va trouver dans cette épreuve terrible pour le pays matière à renverser son quinquennat en prenant des décisions majeures. Il en a le devoir, il en aurait le droit, il lui en faudrait l'audace, le courage. Il joue ce soir son nom dans l'Histoire.

20 heures. Il annonce : journée de deuil national et drapeaux en berne, réunions avec les deux représentants des deux assemblées et les chefs de parti, minute de silence dans les administrations et une phrase que personne ne sculptera dans le marbre : « Rassemblons-nous ! »...

Je pense au cadavre de Cabu, au cadavre de Charb, au cadavre de Wolinski, au cadavre de Tignous, au cadavre de Bernard Maris... À leurs cadavres ! À celui du policier abattu d'une balle dans la tête. À celui qui assurait la garde rapprochée de Charb. À celui de l'hôtesse d'accueil. Aux blessés entre la vie et la mort à l'hôpital. Je ne parviens pas à y croire.

Il y aura un avant et un après mercredi 7 janvier 2015. D'abord parce que ceux qui ont tué sont aguerris : l'opération commando a été redoutablement exécutée. Repérage, arrivée, méthode, interrogation sur les identités des journalistes, abattage, carnage, repli, couverture de l'un par l'autre, tir sur des policiers, l'un d'entre eux est à terre, les tueurs s'approchent, l'un lui tire une balle dans la tête, l'autre couvre le tireur, retour à la voiture, tranquillement, l'un d'entre eux prend une basket tombée à terre et la remet dans le véhicule, ils repartent, même pas sur les chapeaux de roue. Le policier de la BAC est mort ; il gagnait moins de 2 000 euros ; il s'appelait Ahmed – lui aurait pu dire pourquoi ça n'a rien à voir. Cabu et les autres gisent dans leur sang. « On a tué Charlie », dit l'un d'entre eux... Il ajoute : « On a vengé le Prophète ! » Puis ils se perdent dans la nature...

Ces hommes sont des soldats, des guerriers : le déroulement de l'opération, sa préparation et son exécution, la façon de tenir leurs armes, l'harnachement de combat avec cagoule et magasin de munitions sur le thorax, le carton du tir groupé effectué avec une kalachnikov sur le pare-brise de la voiture de police, les changements de voitures, la disparition dans la mégapole, tout cela montre des gens qui ont appris le métier de la guerre.

Dès lors, ils continueront. Il n'est pas dans le genre de ces individus de prendre des vacances et de se fondre dans l'anonymat. Ils veulent tuer plus encore et mourir au combat, puisqu'ils pensent qu'ainsi, djihad oblige et paradis aidant, ils retrouveront le Prophète dans la foulée. Rien à voir avec l'islam, bien sûr.

Peut-on penser un peu l'événement et se défaire un tant soit peu de l'émotion, du pathos, du compassionnel qui ne mange pas de pain et dans lequel communient les tenants de l'unité nationale ? *Il ne suffit pas de crier à la barbarie des tireurs du commando et d'affirmer que ces barbares attaquent notre civilisation pour se croire quittes !*

Le matin même, aux informations de 7 heures, j'apprenais que la France avait dépêché un sous-marin nucléaire sur les côtes est de la Méditerranée, non loin de la Syrie. Nous sommes en guerre. Et cette guerre a été déclarée après le 11 septembre par le clan des Bush. Hormis l'épisode à saluer de Chirac refusant d'y aller, de Mitterrand à Hollande en passant par Sarkozy, nous avons bombardé des pays musulmans qui ne nous menaçaient pas directement : Irak, Afghanistan, Libye, Mali, aujourd'hui l'État islamique, et ce en faisant un nombre considérable de victimes musulmanes depuis des années. Voit-on où je veux en venir ?

Précisons. À qui peut-on faire croire qu'hier le régime des Talibans en Afghanistan, celui de Saddam Hussein en Irak ou de Kadhafi en Libye, aujourd'hui celui des salafistes au Mali ou du califat de l'État islamique menaçaient réellement la France avant que nous ne prenions l'initiative de les attaquer ? Que maintenant, *depuis que nous avons pris l'initiative de les bombarder, ils ripostent, c'est, si l'on me permet cette mauvaise formule, de bonne guerre !*

Mais on confond la cause et la conséquence : les régimes islamiques de la planète ne menacent concrètement l'Occident que depuis que

*l'Occident les menace. Et nous ne les mena-
çons que depuis que ces régimes aux sous-sols
intéressants pour le consumérisme occidental ou
aux territoires stratégiquement utiles pour le
contrôle de la planète manifestent leur volonté
d'être souverains chez eux. Ils veulent vendre
leur pétrole ou les produits de leurs sous-sols à
leur prix et autoriser leurs bases à leurs seuls
amis, ce qui est parfaitement légitime, le principe de la souveraineté des pays ne souffrant
aucune exception.*

*Si les droits de l'homme étaient la véri-
table raison des attaques françaises aux côtés,
comme par hasard, des États-Unis, pourquoi
n'attaquerions-nous pas les pays qui violent
les droits de l'homme et le droit international ?
Pourquoi ne pas bombarder la Chine ? Cuba ?
L'Arabie Saoudite ? L'Iran ? Le Pakistan ? Le
Qatar ? Ou même les États-Unis qui exécutent
à tour de bras ? Il suffit de lire le rapport d'Amnesty International pour choisir ses cibles, elles
ne manquent pas...*

*Les politiques qui n'ont d'idées qu'en fonc-
tion de leur élection ou de leur réélection n'ont
pas pensé la guerre. Ils regardent les crédits de
la Défense et ils coupent pour faire des écono-
mies, mais ils n'ont aucune théorie en rapport
avec le nouvel état des lieux. La géostratégie
est le cadet de leurs soucis.*

*L'existence de l'URSS légitimait, disons-le
ainsi, l'armement nucléaire pour l'équilibre des
terreurs. L'ouvrage incontournable en matière*

de polémologie, De la guerre *de Clausewitz,
a théorisé les conflits qui relevaient de ce qu'il
appelait la grande guerre : celle qui oppose
deux États, deux nations, deux peuples. Il a
également parlé, mais beaucoup moins, de la
petite guerre : celle qu'on peut aussi appeler
la guérilla.*

*Ce qui a eu lieu ce mercredi 7 janvier illustre
parfaitement que notre État s'évertue à penser
contre vents de guérilla et marées terroristes
en termes de grande guerre : voilà pourquoi le
chef de l'État, qui est aussi chef des armées,
entre l'annonce du film à venir de Trierweiler
et le prochain dîner avec Julie Gayet à sous-
traire au regard des paparazzi, lui qui est chef
des armées a décidé d'envoyer porte-avions et
sous-marins en direction de la Syrie. Pour quoi
faire dans un conflit fait de combats dans les
rues ?*

*Pendant ce temps, emblématiques de la petite
guerre, trois hommes peuvent, avec chacun une
kalachnikov et un lot de trois voitures volées,
décapiter un journal, mettre la France à ge-
noux, montrer notre pays saigné à la planète
entière, décimer le génie du dessin satirique
français et n'obtenir pour toute réponse du chef
de l'État qu'un : « Rassemblons-nous ! » Je vois
bien ce que nos dessinateurs assassinés auraient
fait de cette palinodie d'État.*

*Juste après avoir appris cette information du
sous-marin envoyé par Hollande dans les eaux
non loin d'Israël ou du Liban, France Inter*

invitait ce mercredi matin dans sa matinale Michel Houellebecq pour Soumission. *Plus personne n'ignore désormais que ce roman se déroule dans une France islamisée après un second mandat de Hollande. Le politiquement correct lui reprochait depuis plusieurs jours d'annoncer une guerre civile et une humoriste, c'est du moins ce que l'on dit d'elle, une certaine Nicole, a même rioché plusieurs fois avant de dire que la guerre civile annoncée pour dans quinze ans, si elle devait arriver un jour, serait un pur produit de son roman ! Paf, trois heures plus tard, le roman futuriste de Houellebecq racontait notre présent. Mais c'est lui qui était responsable, bien sûr, de ce qui advenait.*

Ce mercredi 7 janvier est un jour qui inaugure une ère nouvelle, hélas ! Quand les trois tueurs tomberont, soit dans leur sang, soit dans un panier à salade, trois autres se lèveront. Et quand ces trois-là tomberont, trois autres à nouveau, etc. Ne nous est-il pas dit que plus de mille soldats revenus du front de l'État islamique sont en état de marche guerrière sur le sol national ? On fait quoi maintenant ? Rappelez-vous l'excellent film de Mathieu Kassovitz, La Haine *: «Jusqu'ici, tout va bien.» Jusqu'au 7 janvier 2015, c'était vrai... Aujourd'hui, plus très sûr...*

★

Chacun connaît la suite. Je me trouvais à
Paris le vendredi 9 janvier, jour de la prise
d'otages de l'hypermarché casher. La capi-
tale était en état de siège. Le périphérique
avait été partiellement fermé ; on annon-
çait des gens retenus dans un magasin ; des
enfants étaient consignés dans une école
proche ; les sirènes des voitures de police
hurlaient partout dans les rues ; sur la place
de la Concorde, les véhicules à gyrophares
fonçaient dans le flot de voitures ; à la radio,
dans un taxi, j'entendais un commentaire
apocalyptique.

Le 9 janvier, le Parti socialiste a organisé
sa riposte : Bush avait tragiquement et fau-
tivement répondu au « 11 septembre » par
une déclaration de guerre à l'Irak, qui n'y
était pour rien. Hollande, via Cambadélis,
le premier secrétaire du parti, a répondu
avec… un appel à manifester dans la rue !
Alors que l'histoire surgissait dans le quinquennat, dans l'histoire des socialistes, dans
celle des Françaises et des Français, dans
celle de l'Europe, dans celle de ce qui reste
de l'Occident judéo-chrétien, le parti qui se
réclame de Jaurès décrétait une manifestation. Une de plus.

Descendre dans la rue ? Pour quoi faire ?
pour dire quoi ? En fait, les socialistes choi-
sissent un non-choix : « Il faut descendre
dans la rue parce qu'on ne sait pas quoi faire
et qu'on ne sait pas quoi dire », avouent-ils
ainsi piteusement. Cette manifestation fut
silencieuse parce que le pouvoir n'avait rien
à dire et le peuple rien à dire non plus de
ce silence face à l'impéritie du pouvoir. Silence du prince ; silence du peuple ; silence
du prince à son peuple ; silence du peuple à
son prince. Mutisme des deux. Avec pareil
programme, comment n'aurait-ce pas été un
succès ?

La manifestation a eu lieu. Disons plutôt : les manifestations ont eu lieu. Car il
y en eut deux. Celle des puissants et celle
des gueux. Les puissants avaient vidé les
maisons pour les remplir de tireurs d'élite,
de militaires, de gens armés jusqu'aux
dents. Les hélicoptères survolaient l'unique
petit bout de rue transformé en décor de
cinéma. Nul doute que, dans les égouts, la
soldatesque croupissait dans la fange pour
protéger les VIP de la politique planétaire
qui battaient le pavé au-dessus de leur tête
et devant les caméras du monde entier : il

y avait dans cette manifestation des gens
connus pour trahir et tromper leurs électeurs, voler leurs contribuables, mépriser
leurs peuples, faire tirer sur leurs opposants,
activer leurs polices pour emprisonner leurs
adversaires, violer les droits de l'homme
en long, en large et en travers. Un certain
nombre d'entre eux faisaient partie des premiers du classement des pays voyous au
sens d'Amnesty International. Il y avait là
des gens qui avaient du sang sur les mains.
Hollande était avec eux, Sarkozy essayait
d'être sur la photo, on y vit aussi BHL et
Laurence Parisot, Netanyahou et Mahmoud
Abbas, les imams bras dessus bras dessous
avec les rabbins, les pasteurs et les évêques
en goguette avec les patrons de la franc-
maçonnerie et de la libre-pensée. TF1 et
France 2 m'avaient sollicité pour faire partie
des commentateurs en direct de cet événement. J'ai décliné.

Il y avait aussi la manifestation de la France
d'en bas. Les gueux étaient exposés. Le petit
paquet de vedettes politiques planétaires qui
a fait cinquante mètres dans un décor en
carton-pâte à la Trauner avant de se replier
vite fait dans ses cars blindés escortés par

des motards et des gros bras avait pour lui la police, l'armée, les services secrets, les forces spéciales et autres milices caparaçonnées de kevlar. Le peuple était disponible pour un carnage qui, fort heureusement, n'a pas eu lieu. Mais un ou plusieurs kamikazes décidés auraient créé une terrible et mortelle panique en plus de victimes. Faire descendre le peuple dans la rue était une prise de risque : le PS est capable de ce genre de risque – pour peu que d'autres les assument.

Hollande fit une incursion chez les gueux. Un pigeon lui lâcha sa fiente sur l'épaule. Devant mon écran, j'avais cru dans un premier temps que c'était la morve du docteur Pelloux après qu'il se fut épanché sur l'épaule présidentielle. Que nenni ! Pas de morve, de la fiente. On a les humeurs qu'on peut. Les survivants de l'équipe de *Charlie* rigolaient : aucun hélicoptère dernier cri n'avait atomisé le volatile. Pour ceux qui croient au ciel, on aurait pu croire la fiente diligentée par lui depuis que les dessinateurs s'y trouvent !

Éric Fottorino, directeur du *Un*, m'a demandé un texte pour son numéro 40 (21 janvier 2015) titré « Pourquoi tant de haine ? ». Le voici :

LE BALAI
DE L'APPRENTI SORCIER

Deux Français musulmans ont planifié froidement l'assassinat de la fine fleur du dessin satirique français et laissé derrière eux une boucherie sans nom. La France a donné ensuite dans un compassionnel assez dans l'air du temps, parce qu'il fait vendre du papier journal, du temps d'émission médiatique et du bavardage sur les chaînes d'information non-stop. Anciens du GIGN ou du RAID, chefs des services politiques et éditorialistes, spécialistes en tout genre, se sont partagé le temps de parole avec l'anonyme qui enfilait les perles convenues : « Rien à voir avec l'islam », « Évitons les amalgames », quand ça n'était pas l'obscène : « Les musulmans sont les premières victimes » !

Le personnel de la classe politique emboîtait le pas à ces sans-nom : désormais, tout le monde s'appelait Charlie : les curés et les militaires, les rabbins et les imams, les beaufs et les politicards, enfin, tous ceux auxquels Charlie, *journal qui frisait hier la faillite, bottait l'arrière-train chaque semaine ! Les cloches de Notre-Dame ont sonné pour Cabu, Arrabal a parlé de prix Nobel posthume pour les dessinateurs, quand ça n'était pas de Panthéon pour Charb ! Il faut n'avoir jamais lu* Charlie *pour croire qu'ils auraient souscrit à ces hochets-là. On peut n'avoir envie ni de la compassion qui empêche de penser, ni de la complicité avec ceux qui empêchent qu'on pense à coup de kalachnikov.*

Penser, justement, c'est se demander comment on en est arrivé là ? Pour ce faire, sortons la tête du guidon et regardons un peu derrière nous : faisons de l'histoire, ce qui est le meilleur remède contre le compassionnel.

Mitterrand a converti la France et les socialistes au libéralisme en 1983. Pour laisser croire à ses électeurs qu'il ne faisait pas la politique de Giscard, libérale, européenne, pourvoyeuse de chômage, donc de paupérisation, donc de délinquance, donc de radicalisations diverses, notamment islamistes, il a instrumentalisé un Front national qui, avant lui, était groupusculaire, jusqu'à faire entrer 35 députés à l'Assemblée nationale en 1986 sous prétexte de proportionnelle. Le FN c'est le balai de l'apprenti sorcier...

Tout ce qui cassait la droite en deux lui était bon pour se maintenir au pouvoir et envisager une réélection – qui a eu lieu. Pour que le FN existe, il fallait deux camps : le bien et le mal, les immigrés et les racistes. Deux camps, c'est le début de la fin pour la pensée. C'était pour la gauche libérale l'assurance de pouvoir continuer à se partager le pouvoir avec la droite libérale. Après Mitterrand, Chirac, après Sarkozy, Hollande, pour un même programme : celui de Giscard !

L'Europe de Maastricht, nouveau hochet

de Mitterrand, devait apporter le plein em-
ploi, l'amitié entre les peuples, la fin des
guerres ; on a eu le chômage de masse, le com-
munautarisme, la dilution de la République,
et, désormais, ce qu'il est convenu de nommer
la guerre civile... La fin de la gauche anti-
libérale diluée dans les postes ministériels du
programme commun ou de la gauche plurielle,
puis la chute du mur de Berlin, ont laissé les
mains libres au marché que gérait la gauche
libérale sans problèmes de conscience. Elle
le gère toujours de la même manière et joue
toujours avec le FN, diable créé et entretenu
par ses soins.

Pendant ce temps, la France menait une
politique schizophrène : islamophobe au-
dehors, islamophile au-dedans. C'est toujours
le cas aujourd'hui. Dehors, droite et gauche
confondues, la France a bombardé les popu-
lations musulmanes d'Afghanistan, d'Irak, de
Libye, du Mali sous prétexte de lutter contre
le terrorisme qui, avant les bombardements, ne
nous menaçait pas directement. La plupart des
intellectuels ayant pignon sur rue ont soutenu
ces guerres — quand ils ne les ont pas vou-
lues ardemment, je songe au terrible rôle de
BHL comme figure emblématique de ceux-là.
Comment ces guerres répétées contre les musul-
mans partout sur la planète depuis presque un
quart de siècle ne pouvaient-elles pas faire de
la France une cible ? Ce qu'elle est devenue
aujourd'hui.

Islamophobe au-dehors, la France est isla-
mophile au-dedans. En effet, l'islam en France
a été représenté comme n'ayant rien à voir
avec l'islam planétaire. C'est méconnaître le
*sens de l'*oumma *qui définit la communauté*
de la totalité des musulmans sur la planète.
C'est aussi faire silence sur la revendication des
tueurs de Charlie *qui se réclament d'Al-Qaida*
au Yémen, bien qu'étant français : parce que
*la communauté, l'*oumma, *fait fi des frontières*
et des nations. L'islam est une religion déter-
ritorialisée dont le message emprunte les voies
d'Internet qui réunit en temps réel ceux qui
sont séparés dans le temps et dans l'espace sur
la totalité du globe.

Les médias dominants reprennent en chœur,
et avec eux, la classe politique, l'antienne
d'un islam « religion de paix, de tolérance et
d'amour ». Il faut n'avoir jamais lu le Coran,
les hadîths *du Prophète et sa biographie pour*
oser soutenir une chose pareille ! Quiconque
renvoyait à ces textes passait pour un littéra-
liste islamophobe – la parution de mon Traité
d'athéologie il y a dix ans m'a montré l'éten-
due des dégâts. En meme temps que l'inculture
de ceux qui s'avèrent moins islamophiles que
liberticides !

La gauche libérale et la gauche antilibérale
communient dans cette dénégation en laissant
le champ libre à Marine Le Pen qui s'engouffre
avec joie et, hélas, succès, dans ce vide laissé
par la dénégation de gauche. Il n'y a pas une

*différence de nature mais une différence de de-
gré entre l'islam pacifique du croyant intégré
dans la République qui conduit sa vie bonne
en instaurant en principe la fameuse sourate
« Pas de contrainte en matière de religion » et
l'islam de ceux qui s'appuient sur de nombreuses autres sourates du même Coran et qui
s'avèrent antisémites, phallocrates, misogynes,
homophobes, bellicistes, guerrières, et tuent au
nom du livre qui dit aussi qu'il ne faut pas
tuer...*

*L'impéritie du personnel politique, qui n'a
plus d'autre perspective que l'accès ou le maintien au pouvoir, a désespéré une grande partie
des Français. Certains votent sans illusions,
certains ne votent plus, certains font semblant,
certains souscrivent à des idéologies clés en
main, la religion remplit admirablement cette
fonction, certains opèrent un repli égocentré.
Certains sont également tentés par la violence : Robespierre redevient un modèle pour
certains, d'autres attendent avec gourmandise
« la révolution qui vient » et elle n'a pas l'air
de se vouloir pacifique, d'autres louchent vers
Mao ou Lénine, quand ça n'est pas Staline. Et
certains font des fedayin des années 70 leurs
modèles de pensée et d'action. Nous y sommes.
Hélas !*

*Que n'avons-nous aujourd'hui, à gauche,
un Chevènement capable, au-dehors, de mener
une politique pro-arabe qui ne soit pas anti-
israélienne et, au-dedans, de conduire une*

*politique clairement laïque qui ne laisse aucun
pion se positionner dans une stratégie antirépublicaine sur l'échiquier français.*

★

Les intellectuels proposent petit à petit
leur pensée du « 7 janvier ». Peter Sloterdijk
fait des membres du commando « de simples
criminels à la recherche de la gloire », des
« tueurs de la société du spectacle » et trouve
à ce massacre la vertu de réveiller une France
endormie et de la solidariser avec l'Europe ;
Alain Badiou fait de *Charlie Hebdo* un journal raciste qui véhicule l'idéologie policière
« pour faire péter de rire le lepéniste aviné
du coin », et, « toute question religieuse mise
de côté » comme il écrit sans rire, il fait de
l'attentat « un crime de type fasciste » que
la prochaine révolution communiste rendra
bientôt définitivement impossible ; Emma-
nuel Todd décrète l'islam religion minoritaire des opprimés et transforme ceux qui
sont descendus dans la rue le 11 janvier en
disant « Je suis Charlie » en antisémites qui
exprimaient ainsi de façon masquée leur
haine des juifs ; Tahar Ben Jelloun affirme

que le Prophète invitait ses soldats à faire la guerre sans tuer de femmes, d'enfants, de vieillards, sans détruire les maisons, sans abîmer les arbres, puis il déplore que l'islam soit sur le banc des accusés ; André Glucksmann affirme, concernant cet attentat, que « les premières victimes sont musulmanes » ; Malek Chebel dit des tueurs qu'ils « tuent pour une cause qui n'a finalement (*sic*) rien à voir avec la religion » ; etc.

L'indéniable retour du religieux a pris la forme de l'islam en Occident. Ce retour est à penser dans l'esprit de Spinoza : hors passions, sans haine et sans vénération, sans mépris et sans aveuglement, sans condamnation préalable et sans amour a priori, juste pour comprendre. Ces pages ne sont rien d'autre qu'une conversation sur ce sujet. J'ai tâché d'inscrire ma réflexion dans l'esprit des Lumières dont la flamme semble vaciller jour après jour.

Entretien

Dans votre *Traité d'athéologie* vous critiquez vivement les « trois monothéismes » tout en précisant que l'Occident aurait bien tort de mépriser l'islam. Mais, vous-même, avez-vous une connaissance approfondie de l'islam ?

Tout comme le judaïsme, je le connais moins bien que le christianisme, puisqu'il est la religion dans laquelle mes parents m'ont éduqué et que c'est cette religion qui a généré la civilisation dont je suis le produit. Mais, de la même manière que j'ai lu le Talmud, j'ai lu attentivement, plume à la main, le Coran, les *hadîths* du Prophète, la *Sîra*, plus quelques biographies de Mahomet, sans compter un certain nombre d'ouvrages sur l'histoire de l'islam. Je connais moins bien l'histoire planétaire de l'islam que l'histoire du christianisme.

Mais j'ai aussi voyagé dans des pays où l'islam est présent : Algérie, Maroc, Tunisie, Libye, Égypte, Mali, Mauritanie, Liban, Turquie, Palestine, Émirats arabes. J'ai donc vu la plurivocité des islams en acte et je sais qu'il en est de plus souples qui insistent davantage sur la dimension spirituelle et universelle que d'autres, plus rigides, qui revendiquent la dimension théocratique et politique.

Quant au concept de barbarie, il est évidemment un jugement de valeur : certes, il peut paraître barbare d'égorger des hommes seulement coupables d'être des ressortissants de pays belliqueux à l'endroit de tel ou tel pays musulman bombardé par l'Occident, mais je trouve tout autant barbare de tuer des victimes civiles innocentes, femmes, enfants, vieillards, avec un armement technologique perfectionné (avions furtifs, drones, bombes...) en Afghanistan, au Mali et dans d'autres endroits musulmans de la planète, sous prétexte qu'ils nous menaceraient sur nos propres territoires alors qu'on a créé le terrorisme en prétendant qu'on voulait en éviter l'exportation. N'oublions pas que les guerres font la fortune des industriels américains qui sont par ailleurs les bailleurs de

fonds des campagnes démocrates et républi-
caines des candidats à la Maison-Blanche.

**Vous n'ignorez pas que les mots peuvent
avoir une énorme influence sur les esprits... La
laïcité, par exemple : que doit-on mettre derrière ce mot ? Qu'y mettez-vous vous-même ?**

Il faudrait qu'on s'entende sur la laïcité.
Je ne suis pas de ceux qui en font une religion avec ses dogmes intangibles situés hors
du temps. Je ne crois pas, par exemple, que
la fameuse loi de 1905 de la séparation des
Églises et de l'État soit un dogme : je crois
à l'histoire et à l'inscription des textes de
loi dans l'histoire. La configuration de 1905
n'est pas celle de 2015 : au début du siècle
dernier, l'islam existait de façon extrêmement
marginale alors que le christianisme était dominant. Aujourd'hui, l'islam est une religion
exponentielle, en pleine forme, forte de ce
que Nietzsche appelait la « grande santé ». Il
faut penser la laïcité à partir de cette nouvelle
configuration. Il faut être pragmatique et non
idéologue : le pragmatique compose avec ce
qui est, alors que l'idéologue pense à partir
d'idées déconnectées du réel.

En janvier 2015, la France a traversé des
événements tragiques qui ne sont pas sans
rappeler le choc d'après le 11 septembre
2001...

L'émotion est une affaire privée et personnelle. Pour ma part, je me sens spino-
ziste. Spinoza écrivait, on le sait : « Ni rire,
ni pleurer, mais comprendre. » Je ne souhaite
pas tomber dans le compassionnel, qui est le
carburant des médias et des hommes politiques de la politique politicienne qui veulent
être élus ou réélus. Les médias n'ont pas besoin qu'on pense, mais qu'on les regarde au
moment où ils envoient la publicité qui les
subventionne. Il faut donc un maximum de
téléspectateurs devant le petit écran à l'instant
où la réclame comme on disait jadis, ou la
propagande consumériste comme on pourrait
dire aujourd'hui, est lancée. Or, on concentre
un maximum de gens devant leur écran avec
le scandale, le sexe, la violence, l'émotion, le
fait divers, et non avec la réflexion ou l'analyse. Ce qui a eu lieu le 7 janvier ne doit
pas s'aborder avec le pathos, ce qui fait le
jeu des médias et des politiciens libéraux qui
crient à la barbarie contre la civilisation, à

la liberté d'expression contre l'obscurantisme là où il n'y a pour eux que désir de vendre leurs marchandises consuméristes, mais avec la raison.

À la suite des attentats de Paris, nombreux ont été ceux qui ont choisi de souffler sur les braises d'une islamophobie latente. Qu'en pensez-vous ?

Précisons d'abord que dire qu'il y a dans le Coran des sourates qui invitent à la guerre, au massacre des infidèles, à l'égorgement, puis rappeler que Mahomet lui-même fut un chef de guerre qui allait personnellement au combat en y tenant son rôle, ne devrait pas être considéré comme islamophobe. Sauf à refuser que le Coran soit le Coran et que le Prophète ait eu la vie qu'il a eue ! Un grand nombre de sourates légitiment les actions violentes au nom de l'islam. D'autres, moins nombreuses, mais elles existent aussi, invitent à l'amour, à la miséricorde, au refus de la contrainte. On peut se réclamer des unes ou des autres. On obtiendra dès lors deux façons d'être musulman. Deux façons contradictoires même.

Islamophobe renvoie, par le suffixe *phobe*, à la peur : avoir peur de l'islam n'est pas détester l'islam, ce qui pourrait se dire avec le préfixe *mis*, comme dans misanthrope ou misogyne, ce qui donnerait alors *mislamique* si l'on veut un néologisme. Islamophobe, dit-on, est un mot inventé par l'Iran de Khomeiny pour stigmatiser tout opposant à son régime. Il existe de véritables militants de la haine contre l'islam, quelles qu'en soient ses formes. Mais il existe aussi des gens qui préféreraient un islam qui prélève les sourates pacifiques à celui qui met en avant les sourates guerrières : est-ce être islamophobe que de préférer la paix à la guerre ? Je ne crois pas.

Quant à ceux qu'on traite d'islamophobes et qui se sont contentés d'annoncer le réel, sous forme philosophique, politique, pamphlétaire ou romanesque, je songe respectivement sans juger de la pertinence de leurs propos à Alain Finkielkraut, Renaud Camus, Éric Zemmour, Michel Houellebecq, on ne saurait les rendre responsables de ce qu'ils se sont contentés d'annoncer. Ce qui serait aussi ridicule que de porter plainte contre le radiologue qui, au vu de vos clichés, vous annoncerait la mauvaise nouvelle d'un cancer dont vous le rendriez responsable.

Les causes de ce qui a eu lieu ne sont pas à rechercher chez ceux qui ont dit il y a des années que ce qui a eu lieu allait avoir lieu, mais chez les politiciens de droite et de gauche libérale qui se succèdent au pouvoir et qui ont créé en France la misère, la pauvreté, le chômage, l'illettrisme, l'inculture, qui ont célébré le culte de l'argent et de la réussite comme horizon indépassable, qui ont fait le deuil de toute morale et de toute spiritualité au profit du Veau d'or et qui, à l'extérieur de la France, ont mené une politique islamophobe sur la planète en bombardant nombre de pays, de l'Irak à l'Afghanistan en passant par le Mali. Ceux-là sont responsables et coupables, oui. Mais pas des philosophes, des écrivains, des essayistes, des romanciers qui font leur travail.

Est-ce que l'intégration – ou la non-intégration – de la communauté musulmane en France est de nature à obscurcir la relation des Français à l'islam ?

Oui, bien sûr, la France n'a pas donné envie qu'on l'aime, ni quand on est né sur son sol, ni quand on est arrivé plus tard, ni quand on est né sur son sol avec des parents ou des grands-parents qui sont venus il y a deux ou trois générations. Depuis qu'en 1983 la gauche a cessé d'être de gauche en devenant libérale et européaniste, qu'elle a fait d'un affairiste véreux, Bernard Tapie, un modèle de réussite sociale récompensé par un poste de ministre, depuis que cette gauche-là, le journal *Libération* en tête, a proclamé d'une façon terriblement obscène « Vive la crise ! », depuis que la droite et la gauche libérale mènent une politique économique semblable et votent pour toutes les guerres contre l'islam depuis l'Irak jusqu'à l'État islamique en passant par l'Afghanistan et le Mali, la France n'a pas donné d'elle une image qu'on ait envie d'aimer. Que certains n'aiment pas cette France-là, je peux les comprendre, car ce n'est pas non plus celle que j'aime. Que des jeunes gens la quittent pour une vie d'aventure, d'idéal, d'action, d'engagement, je peux le comprendre puisque la République n'est plus capable de proposer l'aventure, l'idéal, l'action, l'engagement et qu'elle érige en modèles des comédiens de série B, des

animateurs télé, des footballeurs décérébrés, des acteurs de cinéma, des chanteurs
de radio-crochets télévisés...

**Dès le lendemain des attentats de janvier,
une large partie de l'opinion a cru devoir choisir comme slogan : « Je suis Charlie. » Était-ce
le bon slogan ?**

Le peuple est mort, remplacé par une popu-
lace fabriquée par les médias de masse. Depuis
des années, le grand formateur des consciences
n'est plus l'école, elle aussi vendue au marché
et aux idéologues, mais l'écran – la télévision,
le net, le tweet. Les médias de masse, c'est
leur définition, massifient : ils transforment les
peuples en foules et l'on sait que les foules ne
pensent pas, ne réfléchissent pas, n'analysent
pas, mais s'agrègent et marchent comme un
seul homme au slogan. « Je suis Charlie » fut
un slogan qui a empêché de penser – ce que
veulent les médias de masse qui savent qu'un
peuple qui ne pense pas devient une masse
facile à conduire, à guider, à gouverner.
    La preuve, Hollande a fait un bond de
20 points dans l'opinion publique en se
contentant d'aller au contact de la masse,

probablement inspiré par son conseiller en communication, pour dire qu'il en faisait partie, alors qu'il venait de manifester pour les médias dans une rue ultra-sécurisée avec les grands de la planète, dont certains bafouent les droits de l'homme au quotidien.

Avons-nous bien compris, au fond, les causes réelles du terrorisme ?

Il faudrait une grande politique et nos petits politiciens n'en sont pas capables. La France n'a plus les moyens économiques et financiers, ni idéologiques, de mener cette politique internationale assimilable à un néo-colonialisme. Pourquoi, alors qu'on prétend lutter contre le terrorisme sur notre sol, va-t-on bombarder des villages afghans qui ne nous menaçaient pas, alors qu'on épargne les pays dont on sait sciemment qu'ils sont clairement impliqués dans le terrorisme international, puisqu'ils le financent : le Qatar ou l'Arabie Saoudite par exemple ?

On voit donc bien que ça n'est pas contre le terrorisme que l'on lutte mais contre de petits pays sans défense faciles à bombarder pour aider le commerce des marchands d'armes qui font la loi aux États-Unis, donc sur la planète. La France n'étant pas en reste, d'ailleurs, en matière de vente d'armes : on ne peut construire et vendre des armes de guerre sans les utiliser un jour. Ces guerres contre de petits pays désarmés sont sans gloire et méprisables... Qu'ont fait les gouvernements va-t'en-guerre, dont la France, contre le Pakistan qui a hébergé Ben Laden pendant des années ? Rien... Il est vrai que le Pakistan possède la bombe atomique...

L'idéal serait que la France envisage un changement radical de politique et cesse de vouloir faire la loi sur la planète au nom des droits de l'homme, alors qu'elle agit motivée par des intérêts économiques, financiers, stratégiques, géologiques. Le temps est venu, pour un État faible comme le nôtre, de renoncer à l'impérialisme planétaire pour construire une neutralité qui obligerait à s'engager militairement seulement quand la sécurité de la nation est menacée et après un référendum. Jusqu'à ce que nous les agressions en 1991 en Irak, ces peuples ne nous menaçaient pas. En revanche, les différents chefs d'État des USA avaient besoin d'en faire des ennemis menaçants pour leur sécurité afin d'écouler leurs armes. Qu'on se souvienne de ce terrible mensonge d'État d'un Colin Powell montrant un tube à essai dans lequel auraient été concentrées les preuves que Saddam Hussein possédait des armes chimiques de destruction massive à la tribune de l'ONU en 2003 !

N'est-il pas injuste de « cibler » les musulmans ? De croire que l'islam est globalement « responsable » ?

Il y a au moins deux façons d'être musulman suivant qu'on construit son islam sur ces sourates : « Exterminez les incrédules jusqu'au dernier » (VIII.7), ou sur ces propos extraits de la *Sîra* : « Tout juif qui vous tombe sous la main, tuez-le » (II.58-60), « Tuez les polythéistes partout où vous les trouverez » (XVII.58) ou suivant qu'on s'appuie sur celles-ci : « Pas de contrainte en matière de religion » (II.256), ou bien encore : « Celui qui sauve un seul homme est considéré comme s'il avait sauvé tous les hommes » (V.32) – précisons en passant que cette même invitation, dans les mêmes termes, se retrouve chez les juifs (Michna Sanhédrin, 4:5). Les seconds peuvent en effet dire de l'islam qu'il est une religion de paix, de tolérance et d'amour, mais au détriment des sourates des premiers qui, elles, rendent possible un islam de guerre, d'intolérance et de haine.

Il en va de même avec le christianisme qui permet, si l'on se réclame du Jésus qui tend l'autre joue, pardonne les péchés, répond à la haine par l'amour, invite à l'amour du prochain et au pardon des péchés, un christianisme pacifique, tolérant (celui de Montaigne), ou qui permet l'inverse si l'on se réclame, dans les Évangiles mêmes, du Jésus qui chasse les marchands du Temple avec un fouet (le moment qu'Hitler préférait dans les Évangiles...) ou qui dit : «Je ne suis pas venu apporter la paix, mais le glaive» (Matthieu X.34-36), un glaive qui deviendra le symbole de saint Paul avec lequel le christianisme officiel a construit son idéologie plus qu'avec le Jésus de paix, de tolérance et d'amour qui n'aurait, lui, jamais rendu possibles les croisades, l'Inquisition, l'Index, la colonisation et le génocide des peuples d'Amérique.

N'y a-t-il pas une part de violence injustifiable dans cette suspicion à l'endroit de l'islam ?

Il y a en effet une suspicion qui fait qu'on ne sait qui est musulman et qui ne l'est pas ni qui, quand il l'est, se réclame des sourates de paix ou des sourates de guerre. La barbe, le vêtement, le voile laissent croire que cet islam revendiqué et ostensiblement visible signe nécessairement l'appartenance à un islam guerrier et conquérant. L'implication de cet islam de guerre avec un certain type de délinquance utile pour financer les opérations commando (trafic d'armes, commerce de drogue, braquages...) fait facilement assimiler tout petit délinquant voleur de voiture en banlieue à un terroriste islamiste en puissance. L'assimilation de toute personne de couleur ou de type maghrébin à un délinquant et à un terroriste islamiste potentiel fait le reste. On nage alors dans une confusion qui interdit l'analyse en finesse et la réflexion subtile. Le délit de faciès fait alors, hélas, la loi.

Faut-il se battre pour la laïcité ?

J'ai déjà précisé que la laïcité était un concept vivant et non un dogme mort et qu'il fallait donc le penser de manière contextualisée. Il

y a les faits contre lesquels on ne peut rien :
il existe une communauté musulmane exponentielle en France. Dont acte. Il n'est aucunement question, sous prétexte de « Grand
Remplacement », de « renvoyer chez eux » des
gens qui sont déjà chez eux ! Soit parce qu'ils
sont nés ici, soit parce que leurs parents sont
nés en France, soit parce que, convertis de
fraîche date, ils peuvent également afficher
mille ans de francité. Je m'oppose à toute
politique d'expulsion, fût-elle homéopathique
et médiatique. Plus encore à des expulsions
de masse qui sont les signatures de pays tota-
litaires.

Il faut donc composer avec le réel. Et le
réel, ce sont plusieurs millions de musulmans
qui vivent en France. Si l'on est idéologue
en matière de laïcité, on récite le catéchisme :
on ne finance aucun culte. Conséquence de
pareille idéologie : les cultes seront finan-
cés par des pays étrangers qui ont intérêt à
faire de l'islam une religion de combat contre
l'Occident. Certes, les mosquées ne seront
pas construites avec de l'argent public, l'idée
laïque restera pure, peu importent les consé-
quences, mais les mosquées existeront *de toute
façon* et deviendront des lieux de propagande

antirépublicaine. Si l'on refuse et récuse l'idéologie, la République doit composer avec cette
réalité, en dehors de tout fantasme, et promouvoir l'islam républicain qui s'appuie sur
les sourates pacifiques. Il faut alors former
les imams, surveiller les lieux de culte pour
qu'ils ne soient pas des lieux de propagande
terroriste et, de la sorte, lutter véritablement
contre ceux qui ne croient qu'aux sourates
belliqueuses.

**Vous écrivez souvent que l'islam « apprend
à décapiter ». N'est-ce pas une bien curieuse
leçon de morale de la part d'une nation qui a
inventé la guillotine ?**

Non, pas plus, mais autant. Je suis un fa-
rouche partisan de l'abolition de la peine de
mort, sous toutes ses formes : de la guillotine
de Robespierre aux bombes de l'armée française lancées sur les populations afghanes,
syriennes ou irakiennes, en passant par l'assassinat des dessinateurs de *Charlie Hebdo*, du
policier et des juifs qui faisaient leurs courses
dans un hypermarché casher. L'athée que je
suis ne fait pas un concours de plus ou moins
grande cruauté en matière de religion. Je suis

contre toutes les cruautés, y compris celles qui sont commises au nom de la religion, quelle que soit la religion. Et vous ne me ferez pas défendre l'Inquisition ou les croisades, la guillotine ou les guerres. De même mon athéisme ne me fait pas absoudre les crimes commis au nom de l'athéisme...

Par ailleurs, comparaison n'est pas raison, l'islam est en Europe une religion qui monte en puissance. Elle dispose de ce que Nietzsche nommait la « grande santé », je viens de le dire, elle peut en effet revendiquer un très grand nombre de croyants partout sur la planète, une armée d'hommes et de femmes prêts à combattre et à mourir pour elle, ce qui constitue une évidente dynamique. Le problème n'est donc plus le christianisme, mais ce que l'Europe, qui est en phase d'effondrement après plus de mille ans d'existence, va faire de cette guerre déclarée contre elle au nom d'autres valeurs que les siennes. L'islamophobie, dont j'ai déjà parlé, n'est pas en cause, sauf si l'on se soucie de l'étymologie : le terrorisme vise à faire peur, c'est l'une de ses armes. Qui peut dire qu'il n'a pas peur de perdre la vie dans un attentat, dans le RER ou un avion, dans la rue ou dans une manifestation, en passant

devant une synagogue ou en se trouvant sur
le lieu d'une attaque terroriste, alors que cette
terreur nous est clairement promise et qu'elle
est véritablement activée ?

**Beaucoup prétendent que l'Occident « néo-
libéral » est politiquement, et moralement,
pornographique, idolâtre et ennemi de toute
transcendance. Qu'en pensez-vous ?**

Ceux qui pensent cela n'ont pas tout à
fait tort ! L'Occident est en bout de course,
l'Europe est moribonde, elle ne revivra pas,
et comme toutes les civilisations en phase
d'effondrement, elle montre des signes de
décadence : l'argent roi, la perte de tous les
repères éthiques et moraux, l'impunité des
puissants, l'impuissance des politiciens, le
sexe dépourvu de sens, le marché qui fait
partout la loi, l'analphabétisme de masse,
l'illettrisme de ceux qui nous gouvernent, la
disparition des communautés familiales ou
nationales au profit des tribus égotistes et
locales, la superficialité devenue règle générale, la passion pour les jeux du cirque, la
déréalisation et le triomphe de la dénégation,
le règne du sarcasme, le chacun pour soi...

Une coalition n'est pas possible ni pensable. Quand une civilisation s'effondre alors qu'une autre semble en pleine ascension planétaire, il se crée une relation du faible au fort et il ne s'est jamais vu qu'un ancien fort devenu faible, l'Occident en l'occurrence, soit considéré avec magnanimité, générosité, clémence par l'ancien faible devenu fort...

Vous défendez la laïcité mais l'islam, vous ne l'ignorez pas, vaut pour tous les temps et tous les lieux. Doit-on, en conséquence, le rendre « compatible » avec la République ? Et qu'entendez-vous par « un islam à moderniser en profondeur » ?

Un islam qui, dans le Coran, privilégierait sa partie pacifique. Mais là encore, dans la suite de ce que je viens de vous dire, qui aurait intérêt à être pacifique quand il peut désormais être conquérant ? D'autant qu'intrinsèquement, le Coran est parole de Dieu et qu'on ne saurait choisir selon son propre caprice ce que Dieu a dit. La contradiction est dans le texte : ceux qui professent un islam des Lumières ont raison, il se trouve dans le Coran ; mais ceux qui professent un islam belliciste et conquérant ont également raison, car il se trouve aussi dans le Coran. Tout est affaire de prélèvement. Quiconque voudra la paix a priori aura des sourates pour lui donner raison ; mais quiconque voudra la guerre a priori disposera aussi d'autres sourates qui lui donneront raison.

Il y avait dans le Nouveau Testament la même contradiction : dans les Évangiles, Jésus dit : « Rendez à César ce qui appartient à César et à Dieu ce qui appartient à Dieu » (Matthieu XXII.21 et Luc XX.25) ; mais dans l'Épitre aux Romains (XIII-1) saint Paul dit aussi : « Il n'y a point d'autorité qui ne vienne de Dieu. » D'une part, si l'on se réclame de Jésus, on peut justifier la laïcité avec la séparation du spirituel et du temporel ; d'autre part, si l'on s'appuie sur Paul, on lie de façon indissoluble le spirituel et le temporel. Pendant plus de mille ans, loin du Jésus de paix, de tolérance et d'amour, l'Église, le Vatican, les croisades, l'Inquisition, les génocides amérindiens se sont appuyés sur le Jésus en colère dans le Temple et sur cette terrible phrase de Paul.

Il n'y a pas dans le Coran, me semble-t-il, une sourate qui dissocierait les deux registres : le spirituel d'un côté, le temporel de l'autre. En même temps que d'être une spiritualité intime et personnelle, une religion privée, l'islam est une politique et, comme religion étatique, il est intrinsèquement théocratique. La démocratie ne fait d'ailleurs pas partie de l'idéal islamique. Mais que la démocratie devenue ce qu'elle est ne soit pas désirable et donne matière à critique, voire à blâme, qui pourrait ne pas y souscrire ?

Comment justifiez-vous le fait – fondé sur la « circulaire Chatel » – que les femmes voilées soient interdites de sortie scolaire ?

Je le dis depuis longtemps : le problème n'est pas le voile. Ni hier ni aujourd'hui. Je ne crois pas que dans la configuration d'un voyage scolaire avec d'autres parents, il y ait péril en la demeure avec une mère voilée. C'est la question du choix de son islam dans un livre qui en rend possibles au moins deux, du moins qui a deux points de fuite extrêmes, l'un vers le soufisme, l'autre vers le djihadisme, qui est le problème. Pas le voile d'une mère de famille dans une sortie scolaire. Une femme voilée qui se réclame des sourates pacifiques est moins problématique

qu'une autre qui, tête nue, se réclamerait des
sourates belliqueuses. Le voile ne dit rien en
soi de manière univoque.

**Ne pensez-vous pas que les musulmans
ont le droit de refuser cette islamophobie
institutionnelle ?**

Les musulmans ? Ils sont très hétérogènes.
De plus, ils sont dispersés, mal représentés
et ne parlent pas d'une seule et même voix.
La question de la primeur de l'*oumma*, la
communauté musulmane déterritorialisée,
sur toute autre communauté est à examiner : la République est-elle possible quand
on relève d'une autre communauté, spirituelle et religieuse ? Jadis, les juifs qui, c'est
incontestable, faisaient aussi communauté
spirituelle et religieuse ont su faire communauté républicaine : je songe à Raymond
Aron. La meilleure façon de lutter contre
l'islamophobie est de construire un islam
républicain.

**N'assiste-t-on pas à une confusion entre
l'islam en tant que politique et l'islam en tant
que religion ?**

Il n'y a pas d'erreur à dire ce qui se trouve dans le Coran. Et le Coran ne sépare jamais l'islam et la politique, la religion et l'État. La charia est d'ailleurs logiquement la loi coranique qui s'impose quand on veut vivre intégralement selon le Coran. L'intellectuel qui le dit ne fait que dire ce qui se trouve dans les textes. À charge pour les hommes de faire du texte ce qu'ils voudront bien en faire : selon l'esprit ou selon la lettre. Vivre selon l'esprit de l'islam permettrait de prélever dans le Coran les *hadîths* et la *Sîra* qui veulent la paix ; ce qui ne serait pas vivre selon la lettre qui supposerait le prélèvement de ce qui veut la guerre dans ces textes reconnus comme sacrés par tous les musulmans.

L'ancien président Sarkozy a déclaré qu'il interdirait le voile s'il revenait aux affaires. À l'époque de son premier mandat, il avait déjà interdit la burqa. Ne confond-il pas « burqa » et « voile » ?

Sarkozy ne voit qu'une chose, comme Hollande hélas, c'est la possibilité d'être président lors du prochain quinquennat. Il veut bien tout, pourvu qu'il revienne aux affaires. Hollande et lui n'ont aucun souci de la France et sont juste obsédés par le pouvoir. Cette obsession instrumentalise l'islam : elle est bien plus responsable et coupable que les intellectuels qui tâchent de penser le réel.

Qu'est-ce qui vous autorise à voir le prophète Mahomet comme un homme de guerre alors qu'il ne voulait inscrire que l'humilité et la bonté dans le cœur des hommes ?

Si l'on se contente de la *Sîra*, et aucun musulman, à ma connaissance, n'a jamais considéré qu'il s'agissait d'un faux et tous reconnaissent qu'elle rapporte vraiment les faits et gestes du Prophète, on peut y trouver ces informations que je livre à votre réflexion : lors de son retour à Médine, Mahomet fait savoir à son neveu qui lui disait n'avoir rencontré parmi les combattants que des vieillards sans cheveux qu'il les a égorgés.

Puis ceci : concernant Uqba qui lui demande avant de mourir : « Mahomet, qui va nourrir mes petits-enfants ? », le Prophète lui répond « Le feu », et lui tranche la tête (I.643-646).

Et puis ceci : le poète juif Ka'b ibn al-Achraf ayant écrit des textes indignés après le meurtre des siens à Badr se fait poignarder à mort sur ordre de Mahomet (II.51-58).

De même : le mari de Cafiyya refuse de dire où il cache son trésor : les musulmans le torturent, puis lui tranchent la tête (II.336-337).

Cette autre information : Huyavv est conduit devant le Prophète, les mains liées, tailladé de toutes parts, Mahomet lui dit : « Je ne regrette absolument pas d'avoir été ton ennemi », puis il lui coupe la tête... (II.241)

Cette dernière enfin : lors de la bataille du Fossé, qui oppose juifs et musulmans, Mahomet se propose de mettre fin à trois années de guerre larvée avec les juifs en décidant du combat. Il déclare que tous les hommes de la tribu des Qorayza seront décapités et leurs femmes vendues en même temps que leurs enfants. Presque un millier de juifs sont ligotés et décapités les uns après les autres au bord d'une fosse commune : « Le cataclysme fondit sur eux et le matin suivant ils gisaient dans leurs demeures » (VII.78).

Soit ce texte dit faux, et alors il faut tout de suite dénoncer la dangerosité de cette falsification après avoir démontré qu'il s'agissait bien d'une falsification ; soit il dit vrai, alors il faut composer avec ces informations. Le *hadîth* de Boukhari (IV.73) ne rapporte pas par hasard ce propos de Mahomet qui dit : « Sachez que le paradis est sous l'ombre des épées. »

N'avez-vous pas l'impression d'aller trop loin ? De vous servir des textes secondaires pour jeter l'opprobre sur le Prophète – dont chacun reconnaît l'infinie sagesse ?

Pour pouvoir continuer à avancer, il nous faut résoudre une question : oui ou non la *Sîra* est-elle un texte reconnu comme une source par l'islam ? Je me suis permis de vous citer des références précises et des faits précis pour répondre à votre insinuation désagréable que je *prétendrais* avoir pris connaissance du texte. Ne me faites pas l'injure de croire que je n'aurais pas lu les textes que je cite – au contraire de nombre de personnes qui n'ont jamais pris soin de lire le Coran et les textes que vous reconnaissez vous-même comme légitimes en matière de biographie du Prophète. Les historiens dont vous parlez peuvent dire ce qu'ils veulent, car tout le monde peut dire ce qu'il veut, y compris au mépris de l'évidence. Pour ma part, je ne juge pas de l'islam par ouï-dire, mais par des lectures qui ne sont pas islamophobes puisque ce sont les sources mêmes de l'islam... Est-on islamophobe quand on cite le Coran sans le commenter ou qu'on cite les faits rapportés dans la *Sîra* ? Si oui, voilà qui devient problématique, car quiconque se réfère aux sources contre la légende et la vulgate se voit traité d'islamophobe par des gens qui se disent musulmans mais n'ont lu aucun de leurs textes sacrés et ne connaissent pas même ce qu'a été Mahomet, ce qu'il a fait et ce qu'il a dit. Dans cet ordre d'idées, je regrette d'avoir à vous dire que les musulmans qui recourent à la violence au nom de l'islam, eux, ont lu les textes et les connaissaient... À moins que d'autres les aient lus pour eux, et ceux-là ont *bien* lu ce qu'il y avait à lire. Et ce qui était écrit.

Que faites-vous de mes citations du Coran et de la *Sîra* ? Des faux ? Des insultes ? Des mensonges ? Des propos malveillants ? Des prises de position islamophobes ? Pour que nous puissions échanger il faut au moins, *d'abord*, qu'on ne méprise pas celui qui a lu en disant qu'il prétend avoir lu, *ensuite* lire ce qu'il a lu, *enfin* connaître la validité des textes sacrés de la religion musulmane. Sinon, rien n'est possible... Question de méthode...

Vous parlez de sourates comme s'il y avait deux sortes de Coran : le spirituel d'un côté et le temporel de l'autre. Ignorez-vous donc qu'il n'y a qu'un seul Coran ?

Non, je ne dis pas qu'il y a deux Coran mais, relisez-moi, que dans un même Coran, il existe des textes hétérogènes dont les uns disent certaines choses et d'autres des choses contraires à ce qui a été dit quelques versets avant. Je vous renvoie à mes citations de sourates pacifiques et de sourates belliqueuses, de sourates tolérantes et de sourates intolérantes. Je vous donne les références des sourates et des versets. Que faites-vous de ces contradictions ? Et que faites-vous des sourates intolérantes et belliqueuses ? Prétendez-vous que je les ai inventées ? Qu'elles ont été mal traduites ? Voire, je connais l'argument, il m'a déjà été souvent servi, qu'elles ont été traduites et éditées, voire inventées, par des traducteurs et des éditeurs sionistes ? Je vous le redis, le Coran porte de quoi justifier le meilleur et le pire, lisez-le ou relisez-le attentivement.

Savez-vous que les sourates ont elles-mêmes connu des étapes mekkoises et des étapes médinoises ? Et que ces séquences se retrouvent parfois à l'intérieur de la même sourate ? Ne serait-il pas, de votre part, plus prudent d'étudier ces nuances avant de vous risquer à des jugements excessifs ?

Oui, bien sûr. Ne me faites pas non plus l'injure de laisser entendre que j'improvise sur ce sujet sans avoir étudié et les textes et les contextes. Quand vous avez dit que des sourates relèvent de l'époque de Médine et d'autres de l'époque de La Mecque et que les unes disent des choses contradictoires avec les autres, que concluez-vous ? Qu'il faut retenir les unes et rejeter les autres ? Mais au nom de quoi pouvez-vous, *vous*, simple créature humaine, décider de ce qui, dans un livre dicté par Dieu au Prophète, doit être conservé et de ce qui doit être rejeté ? Pensez-vous que les hommes peuvent prélever dans un texte dicté par Dieu ce qui les arrange et écarter ce qui les gêne ? Car que ferez-vous de celui qui vous dira que les sourates homophobes le gênent et qu'il faut défendre les droits des homosexuels malgré la sourate qui les condamne ? Et de celui qui vous dira que les sourates antisémites sont à écarter ? De même avec les sourates misogynes ? Le Coran n'est pas un supermarché dans lequel on prélève ce qui nous arrange pour pouvoir dire qu'on boit de l'alcool et qu'on mange du porc, mais qu'on est musulman quand même, malgré les sourates qui prohibent le porc et l'alcool ? Je vous rappelle cette sourate : « Voici le livre, il ne renferme aucun doute » (II).

Pour éviter que vous me disiez que le Coran n'interdit rien de tout cela, je vous rappelle les sourates en questions. *Sur les incrédules :* « Exterminez les incrédules jusqu'au dernier » (VIII) ; « Frappez sur leurs cous ; frappez-les tous aux jointures » (VIII.12) ; « Ce n'est pas vous qui les avez tués, mais Dieu les a tués » (VIII.17) ; « Combattez-les jusqu'à ce qu'il n'y ait plus de sédition » (VIII.39). *Sur l'anti-sémitisme :* les juifs « s'efforcent à corrompre la terre » (V.64) ; c'est « un peuple criminel » (VII.133) ; « Tout juif qui vous tombe sous la main, tuez-le » (*Al-Sîra*, II.58-60) ; « Que Dieu les anéantisse » (IX.30)… *Sur les polythéistes* : « Tuez les polythéistes partout où vous les trouverez » (XVII.58). *Sur la justification de la torture par le carcan* : « Nous mettrons des carcans à leurs cous, jusqu'à leurs mentons ; leurs têtes seront maintenues droites et immobiles. Nous placerons une barrière devant eux et une barrière derrière eux. Nous les envelopperons de toutes parts pour qu'ils ne voient rien » (XXXVI) ; *par la noyade* : « Nous avons noyé les autres » (XXXVII.82) ; *par la mutilation* : « Nous lui ferons une marque sur le museau », autrement dit : nous lui couperons le nez (LXVIII.15) ; *par l'égorgement* : invitation à « trancher l'aorte » (LXIX) ; *par la crucifixion* : « Ils seront tués ou crucifiés » (V.33). « Goûtez donc mon châtiment » (LIV) comme il est si souvent écrit… *Sur la misogynie* : « Les femmes ont des droits équivalant à leurs obligations, et conformément à l'usage. Les hommes ont cependant une prééminence sur elles – Dieu est puissant et juste » (*sic !*) (II.228) ; « Les hommes ont autorité sur les femmes, en vertu de la préférence que Dieu leur a accordée sur elles » (IV.34) ; « Lorsqu'on annonce à l'un d'eux la naissance d'une fille, son visage s'assombrit, il suffoque, il se tient à l'écart, loin des gens, à cause du malheur qui lui a été annoncé. Va-t-il conserver cet enfant malgré sa honte, ou bien s'enfuira-t-il dans la poussière ? » (« Les abeilles », XVI.58) ; « Eh quoi ! Cet être qui grandit parmi les colifichets et qui discute sans raison » (« L'ornement », XLIII) ; « Admonestez celles dont vous craignez l'infidélité ; reléguez-les dans des chambres à part et frappez-les » (IV.34) ; « Dis aux croyantes de baisser leurs regards, d'être chastes, de ne montrer que l'extérieur de leurs atours, de rabattre leur voile sur leur poitrine, de ne montrer leurs atours qu'à leur époux, ou à leur père » (XXXIV.31) ; *sur le congédiement :* une sourate entière (« La répudiation », LXV) ; *sur la polygamie,* voir la totalité de la sourate « Les femmes » (IV) ; « Quant à vos enfants, Dieu vous ordonne d'attribuer au garçon une part égale à celle de deux filles » (IV.11)… *Sur l'arrangement du mariage,* la famille décide pour elle (IV.25). *Sur l'homophobie :* l'homosexuel est la figure de « l'abomination » (VII.81).

Oui ou non, ces sourates se trouvent-elles dans le Coran ? Si oui, que faut-il en faire ?

Sinon, comment expliquez-vous qu'on les trouve dans toutes les traductions et toutes les éditions françaises de ce livre ? De la propagande sioniste ? Des inventions de mécréants, de chrétiens et de juifs, d'infidèles et d'athées pour nuire à l'islam ? Ou des textes dont, pour débattre sérieusement, il nous faudrait d'abord convenir qu'ils existent véritablement afin de penser ensuite ce qu'il faut conclure quand on dit qu'il s'agit d'une parole dictée directement par Dieu à son Prophète ? Est-ce être islamophobe que de dire ce qu'on trouve dans le Coran quand on le lit ?

« On doit pouvoir lire la Torah, la Bible et le Coran comme on lit Platon ou Aristote », écrivez-vous. Et vous ajoutez que ce programme n'est un « péché » que chez ceux qui n'aiment ni la liberté ni l'exercice de la raison...

Il y a eu des centaines de milliers de religions depuis que les hommes existent. Parmi celles-ci, la quasi-totalité n'ont laissé aucune trace. Les plus anciennes en ont laissé, mais elles sont illisibles, incompréhensibles, scellées : comment comprendre aujourd'hui les

peintures et gravures pariétales préhisto-
riques ? Les alignements de Stonehenge ? Les
menhirs et les dolmens ?

Nous ne pouvons parler que des religions
qui ont laissé des traces qu'on peut comprendre : depuis Champollion et la pierre
de Rosette, nous pouvons déchiffrer les hié-
roglyphes et comprendre ce que signifient les
textes laissés par les Égyptiens. Nous disposons d'un *Livre des morts* qui est un livre religieux, puisqu'il entretient de l'arrière-monde
et que, pour moi, il y a religion quand on
explique ce monde-ci par un autre monde,
un arrière-monde qui lui donne son sens.
Dès lors, les livres sur lesquels reposent les
religions sont rares, ils sont minoritaires dans
l'histoire des religions.

Durant ces millénaires de religions diverses et multiples, animistes, totémistes,
panthéistes, polythéistes, le monothéisme et
ses textes s'avèrent extrêmement tardifs au
regard de l'humanité : si l'on en croit Jean
Soler, la Torah n'a pas été dictée par Dieu à
Moïse au XIIIe siècle avant J.-C., mais écrite
sur un long temps entre 620 pour l'embryon
du Deutéronome, le cinquième livre de l'ac-
tuel Pentateuque, et le début du IVe siècle

pour sa fin. De sorte qu'on peut dire que la Torah est globalement contemporaine de Socrate et de Platon. Le texte sera remanié ensuite, il est donc *in fine* une œuvre de l'époque hellénistique. De même avec le Nouveau Testament et ses Évangiles écrits, pour les hypothèses les plus anciennes, à la fin du Ier siècle de l'ère commune, et pour les plus récentes, au milieu du IIe. Le Coran, quant à lui, est le dernier texte apparu dans la constellation monothéiste : VIIIe siècle de l'ère chrétienne.

On voit bien qu'un texte, fût-il écrit sous la dictée de Yahvé à Moïse comme le croient les juifs, sous l'inspiration de l'Esprit saint comme le pensent les chrétiens ou sous la dictée de Dieu au Prophète comme l'affirment les musulmans, est daté : il relève d'un moment historique, d'un lieu, du mont Sinaï pour les juifs ou du mont Hira pour les musulmans, et d'une époque.

Ainsi, le *croyant* dit que l'ange Gabriel, Djibril, a rencontré le Prophète en 610 sur ce fameux mont Hira, à quelques kilomètres de La Mecque, et qu'à partir de ce moment, et pendant vingt-deux années, il a dicté le Coran à Mahomet. L'*historien*, quant à lui, nous dit que le Coran a été l'œuvre pieuse de compagnons du Prophète ayant rapporté ses messages. Le texte définitif se trouve établi à la demande du calife Othman. Le texte le plus ancien date de 776, donc cent quarante-quatre ans après la mort de Mahomet qui a eu lieu le 8 juin 632. Ce premier texte est alors composé de 114 sourates avec un nombre de versets variable. À l'époque, l'écriture arabe ne connaît pas les signes des voyelles brèves. C'est au IXe siècle seulement que sont établies pas moins de sept versions différentes du Coran, la plupart d'origines iraniennes. Certes, le croyant peut ignorer ce qu'affirme l'historien ; il peut même imaginer que proposer l'archéologie de ce texte est une offense, un péché ; voire, plus fort dans la condamnation, un blasphème. Mais on n'empêchera pas qu'un texte soit pensé dans un contexte, qu'il ait un ou des auteurs, qu'il ait été écrit dans certaines circonstances et certaines occasions.

On peut lire *La République* de Platon sans être platonicien, voire sans être anti-platonicien, ni mépriser Platon, quand on dit ce qui se trouve *réellement* dans le texte, ce que pense *vraiment* le philosophe et ce

qu'il a *incontestablement* enseigné. On doit
s'entendre sur ce minimum-là : les conditions historiques de production de ce texte et
ce qui s'y trouve sans contestation possible.
Ensuite, un autre travail est possible : celui
du dialogue à partir du texte. On doit pouvoir
lire avec un œil d'historien les textes sacrés de
toutes les religions comme on le fait avec des
textes philosophiques, spirituels, politiques
− d'autant que les trois textes monothéistes
sont aussi des textes philosophiques, spirituels, politiques !

L'athéisme peut-il accoucher d'une morale ?

Bien sûr. Moi qui suis athée, je me bats depuis des années pour promouvoir une morale
dissociée des morales religieuses qui ont eu
cours pendant des siècles. Depuis que nous
disposons de textes éthiques, je songe aux
livres réunis dans *Sagesses de l'Égypte pha-
raonique* par Pascal Vernus, nous savons que
la morale s'appuie sur la transcendance, la
divinité, le divin, l'arrière-monde.

Les travaux de Feuerbach, Nietzsche,
Marx, Freud sur la construction de Dieu et

des religions permettent d'envisager les choses d'une façon moins théologique et plus philosophique. On n'a pas besoin de Dieu pour être moral.

À quoi j'ajouterai que les gens de Dieu ont souvent massacré au nom de leur Dieu : du « Tuez-les tous, Dieu reconnaîtra les siens » catholique d'Arnaud Amaury le 22 juillet 1209 qui invite au massacre des albigeois dans leur totalité, au « On a tué Charlie ! » suivi du « On a vengé le Prophète » de ceux qui ont décimé la rédaction de *Charlie Hebdo* le 7 janvier 2015, en passant par les croisades, avec le massacre des juifs et des musulmans par les croisés en 1099 à Jérusalem, sans oublier la justification des bombardements de la Palestine par certains rabbins, le sang a souvent été versé au nom de Dieu. Croire en Dieu n'est donc pas une garantie éthique, morale.

J'ajoute que l'athée que je suis ne croit pas pour autant que l'athéisme serait par nature vertueux ou plus vertueux ! Il suffit de se souvenir de ce qui a eu lieu en son nom en URSS, dans les pays de l'Est, dans la Chine maoïste, dans le Cambodge de Pol Pot, qui sont autant de régimes ouvertement athées et qui ont eux aussi, hélas, beaucoup massacré.

Je souscris à une éthique qui interdit *absolument*, sans aucune restriction, le meurtre, le crime, la peine de mort sous toutes ses formes : de la vengeance personnelle du talion au bombardement par des États de villes remplies d'innocents, en passant par la peine de mort, quelle qu'en soit la formule : d'État ou terroriste.

Voilà pourquoi je ne me reconnais pas dans les textes sacrés, parce qu'ils justifient les massacres, ni dans les autres textes, non sacrés, profanes, quand ils les justifient également. La justification juive du massacre des Cananéens, les Palestiniens d'aujourd'hui, dans la Torah (Deutéronome XX.16, Nombres XXXI.17), la légitimation du massacre des juifs, des infidèles, des mécréants, des athées par les musulmans dans le Coran (V.33, VIII.7, IX.30, XVII.58), la légitimation de la violence avec ce verset rapportant un propos du Christ : « Ne croyez pas que je sois venu apporter la paix sur la Terre ; je ne suis pas venu apporter la paix, mais l'épée » dans l'Évangile selon Matthieu (X.34), tout cela m'empêche de faire de ces textes la source de ma spiritualité.

Mon éthique est basée sur le vieux commandement « Tu ne tueras point »... Pas besoin pour ce faire d'en appeler à une justification transcendante, divine ou sacrée. Il s'agit juste d'invoquer une simple règle du jeu immanente sans laquelle la vie avec autrui devient impossible. Entendons-nous sur cette éthique minimale réduite à presque rien, mais à un presque rien qui est tout : il n'y a jamais aucune bonne raison pour tuer un homme. *Aucune.* Et ça suffira en matière d'éthique pour commencer.

La philosophie a-t-elle vraiment besoin de « désenchanter » le monde ?

Le travail du philosophe consiste en effet à ne pas entretenir les mythes, les fables, les légendes, les fictions, les fantaisies, les histoires que l'on raconte aux enfants, mais auxquelles des adultes continuent de croire... Je sais que les hommes préfèrent des histoires qui les sécurisent à des vérités qui les inquiètent, les angoissent, les troublent, les perturbent. Plutôt une histoire qui nous raconte qu'après la mort nous vivrons encore plutôt qu'une vérité qui nous dit qu'après la mort d'un homme, il se passe exactement la même chose qu'après la mort d'un autre mammifère... Celui qui refuse cette évidence doit inventer une âme immortelle, donc une fiction impossible à prouver qui reste un objet de foi, de croyance, mais jamais de raison, pour pouvoir vivre avec la perspective du néant chaque jour devant les yeux.

Seuls les esprits forts peuvent regarder la mort en face en sachant qu'elle emportera tout de soi. Les autres – ils ne sont pas blâmables pour autant – s'inventent une vie post mortem dans laquelle ils retrouveront ceux qu'ils ont perdus et qu'ils aimaient, leurs parents, leurs amis, leur époux ou leur femme, ce qui permet de vivre une vie difficile à vivre.

La religion est présentée comme une vérité politique et une certitude spirituelle par la plupart des États qui savent qu'avec l'aide des clergés complices des pouvoirs on peut invoquer Dieu pour conduire plus facilement les peuples.

Le philosophe que je suis propose une alternative démocratique à cette position théocratique ; j'offre dans mes livres, mes cours, mes conférences, mes interventions médiatiques ou à l'université populaire de Caen, une alternative philosophique à la proposition religieuse.

Je crois en effet qu'une spiritualité non religieuse est possible et qu'elle permet d'apaiser l'âme et le cœur de celui qui doit faire face au néant avec sa seule raison et son intelligence. La philosophie antique a proposé nombre de directions pour mener une vie philosophique débarrassée des angoisses, des craintes, des peurs, autant de négativités sur lesquelles prospèrent les croyances qui fournissent les matériaux des constructions mythologiques, fabuleuses, mythiques. Ces propositions faisaient l'économie de Dieu, elles ne le niaient pas et le laissaient à la discrétion de chacun, mais elles affirmaient qu'on peut être moral indépendamment de Dieu, voire sans Dieu.

Ne pensez-vous pas que l'actuelle confusion entre islam et terrorisme, entre musulmans et terroristes, est entretenue par des médias irresponsables ?

Les médias ne pensent pas et veulent qu'on ne pense pas. Ils souhaitent que leurs lecteurs, leurs spectateurs, leurs téléspectateurs ne pensent pas, puisque tous se proposent de penser pour eux, à leur place... Les médias ne vivent qu'avec l'argent : l'argent est nécessaire pour créer le support du média, pour l'entretenir et le faire durer. Ce qui fait la loi chez eux n'est pas la vérité, la justice et la justesse, mais le lectorat, le spectorat et le téléspectorat si vous me permettez ces deux néologismes que chacun comprendra... Il ne leur faut pas un petit public choisi, intelligent et éclairé, mais le plus grand nombre de personnes possible, autrement dit : le maximum de consommateurs pensable. Les médias obéissent à ceux qui les financent ; ceux qui les financent ont de l'argent ; ils obéissent donc à l'idéologie des riches qui les financent et qui défendent et promeuvent un même monde : libéral-libertaire, européaniste, mondialiste et cosmopolite, consumériste et hédoniste vulgaire, nihiliste et marchand, débarrassé de toute morale et de toute spiritualité. Ces médias veulent seulement satisfaire leurs annonceurs qui sont leurs bailleurs de fonds avec leurs publicités. Un média veut aujourd'hui attirer le maximum de consommateurs potentiels pour en faire un maximum de clients réels.

Le traitement de l'information n'a donc pas besoin d'être intelligent, il lui faut juste être spectaculaire, au sens étymologique : il doit faire le spectacle. Pour ce faire, le sexe, la violence, le sport, les jeux, le divertissement suffisent.

Penser la question de l'islam planétaire et intégrer le crime du 7 janvier dans une logique géopolitique internationale et géo-stratégique mondiale, dans celle de l'évident choc des civilisations qui oppose la civilisation islamique à la civilisation occidentale, s'avère impossible dans leur logique qui rabaisse les choses au fait divers, à la petite biographie ou aux petits trajets des acteurs guerriers de cette funeste journée. Dire que ce qui a eu lieu s'explique comme la réponse du faible au fort qui montre que le faible est devenu fort et le fort devenu faible par ce que Clausewitz appelait la « petite guerre », autrement dit la guérilla de ceux qui sont sans moyens d'État contre ceux qui disposent des moyens d'État, est au-dessus des capacités intellectuelles de ceux qui dirigent ces médias.

Dans leur logique, montrer les images de décapitation envoyées par l'État islamique afin de présenter les égorgeurs comme des barbares face à l'Occident qui, lui, serait civilisé, ou bien montrer des briseurs de statues et de sculptures bouddhistes ou pré-islamiques avec leurs masses, leurs disqueuses, leurs marteaux-piqueurs afin d'en faire des barbares *sans jamais montrer* des images d'enfants, de femmes ou de vieillards tués par les bombardements de la coalition américaine (dans laquelle se trouve la France depuis des années quand il s'agit de bombarder des pays musulmans depuis l'Irak en 1991), et *sans jamais montrer* que des sites du patrimoine mondial de l'UNESCO ont été sciemment détruits par les Américains quand ils ont bombardé l'Irak, autrement dit le berceau des civilisations babyloniennes et mésopotamiennes, c'est faire œuvre de propagande. Les combattants de l'État islamique font avec leurs outils primitifs ce que les Américains ont effectué à une bien plus grande échelle avec leur technologie de pointe. Qui a le plus détruit d'œuvres patrimoniales d'ailleurs en la matière ?

Cette mise en perspective permettrait à de nombreuses personnes de comprendre que ne s'opposent pas le camp du bien et celui du mal, celui des barbares et celui des civilisés, mais deux visions du monde, deux civilisations dont l'une a depuis longtemps humilié, exploité, soumis l'autre. Le temps de la victoire unilatérale de l'impérialisme américain, donc occidental, est passé. Ce qui advient ne peut se comprendre qu'une fois mis en perspective avec les longues durées de l'histoire – des durées ignorées par les médias qui ne connaissent que le temps bref de l'effet émotif.

Où en est la gauche vis-à-vis de l'islam ?

Pour répondre à cette question, il faut d'abord s'entendre sur « islam » : lequel ? Celui des origines ou celui de tel ou tel musulman anonyme d'aujourd'hui ? Celui d'un salafiste ou celui d'un soufi ? Celui de René Guénon ou celui de l'ayatollah Khomeiny ? Celui du calife de l'État islamique ou celui de Maxime Rodinson ? Celui qu'on prête à Omar Khayyam ou celui des tueurs des dessinateurs de *Charlie Hebdo* ? Celui des sunnites ou celui des chiites ? Celui du meilleur ou celui du pire ? Celui au nom duquel des hommes construisirent la mosquée de dentelle de pierre de Sidi Oqba à Kairouan au IXe siècle de notre ère ou celui au nom duquel, hier, d'aucuns ont détruit les bouddhas de Bamiyan ou les sculptures mésopotamiennes à la disqueuse ou à la masse, des images retransmises sur toutes les télévisions du monde ? L'islam de paix, de tolérance et d'amour qui s'appuie sur la fameuse et *unique* sourate « Pas de contrainte en matière de religion » (II.256), ou l'islam de guerre, d'intolérance et de massacre qui se réclame des *nombreuses* sourates guerrières, belliqueuses, antisémites ou destinées à justifier le massacre des infidèles (VIII.7, VIII.12, VIII.17, VIII.39, etc.) ?

Il y aura toujours un islam pour donner tort à l'autre. Qui dit vrai ? Tous à la fois, et personne en particulier, car l'islam c'est tout ça : le meilleur et le pire, le pire de l'islam ne devant pas être décrété arbitrairement comme ne relevant aucunement de l'islam. Car, que disent les tueurs de Cabu, Wolinski et les autres quand ils disent en s'enfuyant après ce massacre : « On a vengé le Prophète » ? La question mérite d'être posée. Faute de l'être, elle ne recevra pas sa réponse et nous continuerons à ne pas pouvoir penser, car nous resterons dans le fantasme, l'idéologie, la politique politicienne.

C'est entendu, « islam » pose problème dans sa simple définition. Mais « droite » et « gauche » aussi ! La Gironde est de droite quand la plupart de ses membres veulent épargner la mort au roi, mais les Jacobins qui sont de gauche veulent le décapiter. En 1981, une fois les socialistes parvenus au pouvoir, c'est la droite qui défend la guillotine, dont on se sert beaucoup moins qu'en 1793, alors que la gauche n'en veut plus, même si une partie de cette gauche continue à trouver des vertus à Robespierre, le pourvoyeur forcené du rasoir national.

Hier la gauche condamnait le pouvoir de l'argent et le combattait au nom de l'humanisme. Elle luttait contre le Capital qui exploitait les enfants dans les mines et voulait les sortir des galeries de charbon pour les éduquer dans les écoles. Aujourd'hui, ce qui se présente comme la gauche défend l'idée que les pauvresses rendues misérables par le capitalisme (qu'elle ne combat plus) puissent louer leur utérus à des riches désireux d'implanter leur fœtus dans des ventres de location – comme on loue une place de parking ou un garage. Comme on peut se poser la question « Où est l'islam ? » on peut légitimement se demander « Où est la droite ? » et « Où est (passée) la gauche ? ».

Approuvez-vous la phrase fameuse de Marx sur la religion comme « opium du peuple » ?

Oui, et quand il l'écrit, il s'inscrit dans la logique de son temps : la religion chrétienne est en effet, dans l'Europe industrielle du XIXe siècle, le bras spirituel armé de l'aliénation de la classe ouvrière exploitée par le capitalisme. Parce qu'elle renonce au paradis sur terre dans les églises, la classe laborieuse croit que la terre est une vallée de larmes d'autant plus légitime que sa souffrance lui ouvre les portes du paradis. L'Église n'a cessé d'associer son goupillon au sabre du pouvoir qui sert à charger les ouvriers quand ils manifestent pour obtenir de meilleures conditions de travail. Si la religion c'est l'opium du peuple, alors l'islam étant une religion, il est aussi l'opium du peuple. On devrait donc, quand on se réclame du marxisme, penser et agir en athée, c'est-à-dire s'opposer autant à la Torah qu'à la Bible et au Coran.

Pourquoi donc, à l'instar d'Alain Badiou et quelques autres intellectuels qui lorgnent du côté du PCF, du Front de gauche ou du NPA (plus effrayés par l'islamophobie française d'après le 7 janvier qui n'a fait aucun mort que par l'islam terroriste qui, lui, en fait...), se trouve-t-il des marxistes pour défendre l'islam, tout l'islam, toutes ses formules, y compris les sanglantes ? Pour ceux-là, la religion n'est pas l'opium du peuple mais la force d'un peuple, même embrumée par les vapeurs d'opium, qu'il s'agit d'utiliser comme un levier pour mettre à bas le capitalisme. « Au nom du principe que les ennemis de mes ennemis sont mes amis, l'islam, en tant qu'il lutte contre l'Occident et ses valeurs capitalistes, est mon ami à moi, révolutionnaire marxiste, parce que je souhaite la fin du capitalisme et l'avènement de la révolution prolétarienne mondialisée ! » La religion est donc l'opium d'idiots utiles qui rendent possible la réalisation du projet marxiste : la fin du Capital et l'avènement de la révolution.

L'islam, selon vous, partagerait donc avec le marxisme révolutionnaire une critique des valeurs du capitalisme libéral ?

En effet, et il partage avec le marxisme révolutionnaire qui laisse des traces à l'aile gauche du Parti socialiste, au PCF, au Front de gauche, chez certains écologistes d'EELV, la critique des valeurs de la bourgeoisie occidentale, des logiques du marché consumériste en même temps qu'une critique des juifs, du sionisme et de l'existence de l'État d'Israël. Toujours en vertu du principe que les ennemis de nos ennemis sont nos amis, l'islam défendant dans le texte coranique, les *hadîths* du Prophète et la vie même de Mahomet, une indéniable idéologie antisémite – « Tout juif qui vous tombe sous la main, tuez-le », dit Mahomet dans *Al-Sîra*, II.58-60 en s'appuyant sur ce verset : « Que Dieu les anéantisse » (IX.30) –, l'antisémitisme islamique est défendu par une certaine gauche.

La question des rapports entre la gauche et l'islam s'avère donc indissociable de la question juive. Il se fait que Marx, juif lui-même, a été antisémite comme une bonne partie de la gauche du XIXe siècle. Dans *Marx et la question juive*, Robert Misrahi a analysé le détail de cet antisémitisme de gauche. Dans *La Question juive*, Marx écrit en effet : « L'essence du judaïsme et la racine de l'âme

juive sont l'opportunité et l'intérêt personnel ;
le Dieu d'Israël est Mammon, qui se manifeste dans la soif de l'argent. Le judaïsme
est l'incarnation des attitudes antisociales. »
On trouve chez Proudhon, Fourier, Tousse-
nel, Leroux les mêmes assimilations entre les
juifs, les capitalistes, les bourgeois et l'argent.

L'antisémitisme change de forme après
Auschwitz, puis avec la création de l'État
d'Israël. L'antisionisme en devient la prin-
cipale composante. L'assimilation des juifs
cosmopolites à l'argent du Capital mondia-
lisé s'augmente de nouvelles insultes : agent
international du sionisme, puis suppôt de
l'impérialisme américain. La gauche marxiste
rejoint le camp des antisionistes constitué par
les Palestiniens, les Arabes et les musulmans
qui ne coïncident pas toujours, mais qui se
trouvent associés dans une même entité idéologique et militante.

Certes la création de l'État d'Israël n'est
pas allée sans d'incontestables expropria-
tions infligées au peuple palestinien, mais
ce peuple payait, hélas, la politique de collaboration avec Hitler menée par le Grand
Mufti de Jérusalem, Hadj Amin al-Husseini.
En effet, cet homme qui prétendait descendre

du Prophète approuve le régime d'Hitler dès 1933 ; il rencontre le dictateur à Berlin qui l'élève au rang d'« Aryen d'honneur » ; il prêche en faveur du national-socialisme dans l'unique mosquée de Berlin ; il déclare : « Les principes de l'islam et ceux du nazisme présentent de remarquables ressemblances, en particulier dans l'affirmation de la valeur du combat et de la fraternité des armes, dans la prééminence du chef, dans l'idéal de l'ordre » ; il contribue à mobiliser des musulmans pour lutter dans des divisions SS, l'imam de la division Handschar affirme ainsi : « Pour tenter de rassurer mes camarades, je leur expliquais que tout musulman qui perdait la vie au combat pour l'islam serait un *shahid*, un martyr » ; il visite un camp de concentration, mis au courant de la solution finale il souhaite qu'on extermine également les enfants juifs ; il a travaillé à un plan d'extermination des juifs d'Afrique du Nord et de Palestine. Hébergé par la France après guerre, il rejoint l'Égypte sans encombre sous un faux nom en 1946. Leïla Shahid, sa petite-nièce, a représenté jusqu'en mars 2015 l'Autorité palestinienne auprès de l'Union européenne – une autorité actuellement gouvernée par

Mahmoud Abbas, auteur d'une thèse révisionniste soutenue en URSS en 1982.

Le contexte devient différent avec la décolonisation...

En effet. Et à l'occasion de ces combats, des peuples qui souhaitent se libérer du joug colonial découvrent la capacité de l'islam à fédérer contre l'Occident avec une idéologie, une spiritualité et une politique de substitution. Les nationalismes arabes se constituent contre les anciennes puissances coloniales et, pour ce faire, se servent d'un islam radicalement hétérogène à l'Occident. Certains anciens nazis collaborent avec des nationalistes marxistes – un seul exemple : en 1951, plus d'une soixantaine d'anciens officiers du Reich travaillent pour l'Égypte et la Ligue arabe.

Des penseurs de gauche ont soutenu nombre de combats antisémites sous couvert de défendre le peuple palestinien : Sartre soutient Septembre noir, auteur du massacre des athlètes israéliens à Munich en 1972, la Bande à Baader (dont le cofondateur Horst Mahler a rejoint l'extrême droite allemande et se trouve aujourd'hui poursuivi pour avoir fait le salut nazi en public) ; Genet, amant d'un SS pendant l'Occupation, fait l'éloge de la « poésie » du massacre d'Oradour-sur-Glane et magnifie le « banditisme le plus fou » de Hitler, la beauté des miliciens, celle des militants de la Bande à Baader, mais aussi de l'OLP – ce qui ne gêne ni Sartre, ni Derrida (qui consacre un livre à Genet, *Glas*, en 1974), ni Foucault dans leur admiration ; Garaudy, intellectuel officiel du PCF de 1933 à 1970, date de son expulsion pour gauchisme, devient le maître à penser du négationnisme et en fournit les éléments de langage ; Rassinier, communiste, cégétiste, adhérent à la SFIO, est lui aussi un maître à penser du négationnisme ; Soral, qui fut membre du PCF pendant une douzaine d'années avant de devenir ce que l'on sait...

On peut également rappeler le soutien que Jean-Luc Mélenchon, patron du Front de gauche, apportait à Ahmadinejad quand il était au pouvoir en Iran il n'y a pas bien longtemps alors que ce dernier menaçait de rayer Israël de la carte ou l'affection qu'il portait à Hugo Chavez pour qui « une minorité, les descendants de ceux qui ont crucifié le Christ (...), s'est emparée des richesses du monde (...) et a concentré ces richesses entre

quelques mains ». L'opposition de ces deux
dictateurs à l'Amérique ne saurait justifier,
une fois de plus, qu'on se contente de l'idée
que les ennemis antisémites de gauche de nos
ennemis capitalistes de droite soient nos amis.

Mais le Coran n'est ni de droite ni de gauche...

En effet, mais on pourrait envisager ce qui,
dans le Coran, pourrait sembler de droite ou
de gauche. On a vu qu'au nom de la haine du
capitalisme, de l'argent et des juifs associés de
manière fautive, les sourates antisémites aidant,
une certaine gauche, marxiste, néo-marxiste,
post-marxiste, pouvait soutenir l'islam politique
au nom d'un antisionisme présenté comme
l'idéologie de la lutte (révolutionnaire) contre
l'impérialisme américain (sioniste).

D'autres sourates sont clairement misogynes et phallocrates. À première vue, elles
empêchent qu'un ou une féministe puissent
souscrire à l'islam : supériorité des hommes
sur les femmes par décision de Dieu (II.228,
IV.34), simplicité de la répudiation (LXV),
malédiction de la naissance d'une fille dans
une famille (XVI.58), légitimation de la

polygamie pour les hommes (IV.3), arrangement des mariages (IV.25), légitimation du voile (XXXIV.31), justification des coups sur simple présomption d'infidélité (IV.34).

Les combats féministes dans l'histoire n'ont jamais été menés par la droite qui, en écho à la doctrine chrétienne, faisait de la femme un sujet inférieur aux hommes, une vassale du mâle, une épouse vouée à servir son mari, une mère destinée à produire une famille et à s'en occuper. Le repos du guerrier, l'allaitement, la cuisine, la vaisselle, le ménage étaient alors, pour la droite et les chrétiens, l'unique destin des femmes.

Des siècles de féminisme ont mis à bas la domination de ce modèle – même s'il reste beaucoup à faire pour en finir avec lui. Comment dès lors la gauche pourrait-elle renoncer à cette mémoire méprisée par l'islam ? Réponse : en expliquant que le capitalisme et le consumérisme, la publicité et la pornographie ont transformé les femmes en objets sexuels alors que l'islam donne une dignité aux femmes qui cessent alors, avec cette religion, d'être des proies pour les hommes !

Le NPA n'a pas trouvé incohérent de présenter une candidate voilée tout en se disant

un parti féministe : la haine du capitalisme
vaut bien qu'on passe le féminisme par-dessus
bord pour faire de la phallocratie musulmane
un signe de féminisme anticapitaliste ! Aux
yeux des néo-marxistes, le voile devenait alors
le signe du véritable féminisme...

Ajoutons que dans le même temps, et sur de
longues durées, la lutte pour la reconnaissance
des droits des homosexuels s'est faite dans les
rangs de la gauche pendant que la droite lui
opposait son modèle familial avec deux sexes
et la fondation d'un foyer avec des enfants
soumis à l'autorité paternelle. Que faire des
sourates qui font de l'homosexualité une abomination (VII.81) quand on se dit de gauche ?

Souscrire à l'islam qui est une politique, et
pas seulement une éthique ou une spiritualité,
c'est souscrire à la théocratie puisque la parole
de Dieu dit le vrai en tout, donc également en
matière de droit et de loi, de prescriptions et
de législation, de jurisprudence et de légalité.
En islam, tout pouvoir vient de Dieu – une
thèse qu'on trouve également chez saint Paul.

La laïcité s'est imposée en Occident grâce
à un long combat antichrétien mené par la
gauche pendant plusieurs siècles. La séparation du temporel et du spirituel a été réalisée

de haute lutte par un certain nombre de philosophes et l'abolition de la royauté fut le
moment historique sanglant de la laïcisation
du pouvoir. Le roi n'avait plus à être le représentant de Dieu sur terre car le peuple
devenait le souverain par la grâce du suffrage
cristallisant la volonté générale.

**Diriez-vous que, par anticapitalisme et anti-
colonialisme, la gauche islamophile s'est faite
antisémite et antisioniste ?**

Et, en même temps, phallocrate, homophobe, puis, ce qui n'est pas le moindre
paradoxe, théocratique : elle abolit tous les
combats qui furent ceux de la gauche issue
de la Révolution française. Mépris se trouve
ainsi signifié à l'abbé Grégoire qui a lutté
pour l'émancipation des juifs et à Robespierre
(que les néo-robespierristes d'aujourd'hui fe-
raient mieux de soutenir sur ce combat plutôt que sur celui de la Terreur...) ! Mépris
se trouve ainsi signifié à Olympe de Gouges
qui rédige sa Déclaration des droits de la
femme (et que le Robespierre aimé par les
néo-robespierristes fait exécuter...) ou, plus
tard, à l'auteur du *Deuxième Sexe* ! Mépris se

trouve ainsi signifié aux athées, Hébert et les
hébertistes, Anacharsis Cloots (décapités sur
ordre de Robespierre...) ! Mépris se trouve
ainsi signifié à ceux qui, en dignes émules du
Contrat social de Rousseau, ont voulu qu'on
ne jurât plus sur la Bible mais sur la Constitu-
tion souverainement décidée par des hommes,
pour des hommes, sans aucun souci de Dieu.
Mépris se trouve ainsi signifié à toute la philosophie des Lumières : l'hédonisme libertin
de Diderot et l'anticléricalisme de Voltaire,
l'athéisme de d'Holbach et la condamnation
de la peine de mort chez Beccaria, le projet
de paix perpétuelle de l'abbé de Saint-Pierre
et le matérialisme de La Mettrie, la confiance
dans l'instruction de Condorcet et le souverain démocratique de Rousseau, la séparation
des pouvoirs de Montesquieu et l'usage de la
raison chez Kant.

   « Ose penser par toi-même ! » était la devise des Lumières ; « Cesse de penser, obéis,
soumets-toi ! », voilà la nouvelle devise de
la gauche islamophile qui, contre tous ces
philosophes des Lumières, défend : l'ascé-
tisme puritain, le cléricalisme musulman, le
Dieu monothéiste, toutes les peines de mort,
la guerre, le spiritualisme, le catéchisme, la

théocratie, la confusion des pouvoirs, l'obéissance et la soumission, l'abdication de tout
esprit critique...

La gauche islamophile se retrouve aujour-
d'hui étrangement à front renversé du côté
des antiphilosophes (Bergier, Chaudon,
Feller, Jamin, Nonnotte) et des contre-
révolutionnaires (De Maistre et Bonald, Burke
et Blanc de Saint-Bonnet) ! Ils réactivent
l'ancienne figure du juif bouc émissaire, ils
renvoient la femme à son rôle d'épouse et de
mère, ils soutiennent ceux qui pourchassent
les homosexuels, ils renoncent à la laïcité, ils
font de la politique une affaire de théocratie
et non de démocratie... Étrange époque où
la gauche islamophile se fait liberticide en
défendant tout ce contre quoi la gauche historique a lutté. Une gauche antisémite, misogyne, phallocrate, homophobe, antilaïque,
théocratique : qui aurait pu croire un jour
que pareille série d'oxymores fût en passe
de devenir crédible dans quelques cerveaux
malades ?

**Revenons aux préjugés désormais si répan-
dus : comment lutter contre les idées trop vite
acquises ?**

Le problème n'est pas de réexaminer les idées acquises mais de savoir si l'on peut croire et réfléchir en même temps, se plier à la volonté ou à la parole de Dieu et faire fonctionner sa raison dans un même mouvement, lire un texte et le soumettre à la critique selon l'ordre des raisons.

Tout commence avec un problème qui a donné lieu, dans la philosophie musulmane, à d'abondants débats : le Coran a-t-il été créé (thèse mutazilite) ou incréé (thèse asharite) ? Tout découle de la réponse qu'on donne à cette question. Si le Coran a été créé, il l'a été par des hommes qui, même inspirés par Dieu, ont pu se tromper car l'erreur est humaine. S'il ne l'a pas été, c'est qu'il est directement parole de Dieu ; dès lors, il est vérité absolue et chaque virgule est volonté de Dieu. Aucun homme n'est légitime pour déplacer une virgule, abroger un verset. D'une part, l'histoire et l'usage de la raison sont possibles ; de l'autre, ni l'histoire ni la raison ne sont défendables : il faut juste croire.

Dans l'histoire, le mutazilisme est une école rationaliste créée au VIIIe siècle à Bassora. Elle affirme l'existence du libre arbitre. Majoritaire sous le califat abbasside au IXe siècle, elle est réprimée, puis considérée comme hétérodoxe, avant de disparaître au XIIIᵉ siècle. De même, l'asharisme, fondé au Xᵉ siècle et actif jusqu'au XIXᵉ siècle, a été prépondérant en matière d'influence : outre que ce courant affirme que le Coran est incréé, il nie le libre arbitre, affirme que Dieu a créé les hommes bons ou mauvais et qu'on ne peut rien contre cela, mais que, bien qu'il n'ait rien choisi, l'homme est responsable de ce qu'il est. Que le mutazilisme ait été effacé de la carte intellectuelle et que l'asharisme ait dominé pendant presque dix siècles fait sens aujourd'hui par les effets induits dans l'histoire.

Le mutazilisme permet de faire de la raison l'instrument de lecture du Coran parce qu'il en fait un livre écrit par les hommes et qu'on peut le lire avec le même œil que quand on lit Homère, alors que l'asharisme fait de la foi l'a priori nécessaire à toute lecture : il faut croire, point à la ligne.

J'ajoute que le Coran comporte des sourates qui peuvent aussi bien justifier et légitimer ces deux démarches contradictoires. Ainsi, les mutazilites peuvent s'appuyer sur : « Ne te hâte pas dans la récitation, avant que la révélation ne soit achevée pour toi. Dis : "Mon

Seigneur ! Augmente ma science" » (XX.114).
De même les asharites : « Voici le livre, il ne
renferme aucun doute » (II.2), ou bien, par-
lant du Coran : « Si celui-ci venait d'un autre
que Dieu, ils y trouveraient de nombreuses
contradictions » (IV.82) – contradictions qui
s'y trouvent, ainsi, dans cette même sourate : « Dieu est celui qui efface les péchés ;
il est miséricordieux » (IV.99) et : « Dieu a
préparé un châtiment ignominieux pour les
incrédules » (IV.102), comment peut-on être
miséricordieux et châtier de manière ignomi-
nieuse ? Le texte même, puisqu'il comporte
des contradictions, et il faudrait en établir la
liste, témoigne en faveur des mutazilites.

En faveur des mutazilites également cet
extrait : « Il n'y a de Dieu que lui, le Puissant,
le Sage ! C'est lui qui a fait descendre sur toi
le Livre. On y trouve des versets clairs – la
Mère du Livre – et d'autres figuratifs. Ceux
dont le cœur penche vers l'erreur s'attachent
à ce qui est dit en figures car ils recherchent
la discorde et ils sont avides d'interprétations ;
mais nul autre que Dieu ne connaît l'interprétation du Livre. Ceux qui sont enracinés
dans la Science disent : "Nous y croyons !
Tout vient de notre Seigneur !", mais seuls

les hommes doués d'intelligence s'en sou-
viennent » (III.6-7). Il faut donc moins la foi,
l'obéissance et la soumission pour aborder le
Coran que la Science et l'intelligence.

**Vous ne pensez pas qu'il convient de distin-
guer les textes fondateurs à portée universelle
et les interprétations historiques dont la portée
dépend davantage du contexte qui les a vues
naître ?**

On imagine bien volontiers que les hommes
intelligents, ceux qui disposent de la science
et du savoir, feront confiance à la science,
à l'intelligence et au savoir. Mais, le Coran
le dit aussi : « Petit est le nombre de ceux
qui réfléchissent » (XL.58) ! Que faire avec
le plus grand nombre, privé de sagesse, d'intelligence, de science et de raison ? Ce sont
ceux-là qui ont tendance à rechercher la discorde en ne comprenant rien à rien ! Il y a
dans le *Discours décisif* d'Averroès une théorie
dite de la double vérité qui met en perspective la vérité selon la foi et la vérité selon
l'ordre de la raison. Le texte sacré peut dire
une chose – Dieu a créé l'homme à partir de
l'argile (VI.2) ou bien le monde en six jours

(VII.54) – et la science affirmer autre chose – il en va bien plutôt de l'effondrement d'une étoile et de l'évolution d'une bactérie vers le vivant qui évoluera jusqu'à l'homme –, qui dit vrai ? Les deux, dit Averroès en affirmant que la vérité ne s'obtient que par la pratique de l'examen rationnel (§18) qui ne peut que confirmer ce que dit le « Texte révélé ». S'il y a contradiction, l'interprétation est moins *élucidation* par le fait de trancher en faveur de l'une plutôt que l'autre thèse, que *conciliation* à l'aide de la dialectique et de la rhétorique aristotélicienne qui permet de dire une chose et son contraire en même temps, suivant qu'on se place de tel ou tel point de vue. Il s'agit de recourir à une sophistique que les musulmans nomment le *tawil* et qui suppose l'interprétation allégorique, autrement dit : il faut noyer le poisson de la contradiction dans l'eau pure et claire d'un discours qui l'efface.

Le même Averroès défend dans le même livre l'idée qu'une autre modalité de ce qu'on pourrait appeler la double vérité puisse être également pratiquée : vérité pour les sages, les gens de science capables de comprendre, et vérité pour le peuple qui ne saurait accéder aux subtilités de la dialectique, de la rhétorique et de la sophistique du philosophe. Il y a donc un discours pour « l'homme de démonstration » (§16), pour les « hommes d'une science profonde » (§23), pour « la classe la plus parfaite des humains », pour « la classe la plus parfaite d'être » (§47) et une autre vérité pour le peuple, les autres hommes, en vertu du principe élitiste et aristocratique que « les hommes se distinguent par leurs dispositions innées, et diffèrent quand au fond mental qui détermine en eux l'assentiment » (§23).

La théorie de la double vérité permet donc, dans un contexte aristocratique intellectuel, de résoudre le problème des contradictions en les aplanissant jusqu'à les faire disparaître grâce à la logique, à la rhétorique, à la dialectique, à la sophistique d'Aristote, un travail à mener loin du peuple, de la plèbe, des gens de peu, du reste de l'humanité dont les philosophes se séparent.

Comment « penser ensemble » ce qui est en apparence contradictoire dans les textes fondateurs de l'islam ?

C'est tout le problème du prélèvement. Comme il existe dans le Coran une sourate qui dit une chose et une autre qui dit son contraire, on ne peut tenir ensemble, sauf sophistique dans l'esprit d'Averroès, des choses contradictoires : hormis de rares exceptions, toutes les sourates du Coran s'ouvrent en invoquant la miséricorde divine : « Au nom de Dieu, celui qui fait miséricorde, le Miséricordieux ». Or la miséricorde, si j'en crois mon dictionnaire Littré, renvoie à la pitié qu'on a : « Sentiment par lequel la misère d'autrui touche notre cœur », dit-il. Comment Dieu peut-il alors tant vouloir, et à longueur de page du livre saint, la mort des infidèles, le châtiment des incroyants, la mutilation des adversaires, la guerre et la vendetta, le trépas des apostats ? Les vertus de la miséricorde sont le pardon, l'indulgence, la douceur, la longanimité, la magnanimité, la bonté, la clémence, la tolérance, la compréhension ! Or on cherche en vain, chez ce Dieu miséricordieux, les moments où on le voit pratiquer ces vertus.

Tout musulman qui se contenterait d'honorer ces versets qui ouvrent le livre, sans aller plus loin que cette phrase qui dit de Dieu qu'il est miséricordieux, ne pourrait jamais toucher un seul cheveu de son prochain. En revanche, tout musulman qui irait chercher dans le texte de quoi justifier colère et vindicte, vengeance et châtiment, revanche et punition, y trouverait aussi de quoi justifier ses faits et gestes. Dès lors, c'est le prélèvement qui fait la différence : celui qui s'appuie sur les versets de paix et de tolérance ne vivra pas (et ne fera pas vivre...) le même islam que celui qui fondera son action sur les versets qui justifient le sang versé.

C'est quand l'islam devient politique que le problème se pose : si un pays effectue les prélèvements dans l'islam de paix, il n'aura pas la même histoire que celui qui voudra l'islam de guerre.

Faut-il prendre et faire prendre conscience de ce processus historique ? Faut-il le « déconstruire » pour remonter jusqu'au message originel ?

Moi qui suis philosophe et qui ai créé l'université populaire de Caen pour « rendre la raison populaire » selon l'expression de Diderot, j'ai demandé à une amie musulmane, Razika Adnani, professeur de philosophie, auteur d'ouvrages sur la question de la relation entre la raison et l'islam, d'assurer un séminaire qui permette, sans polémique et sans a priori favorable ou défavorable, d'augmenter la connaissance et la compréhension de l'islam. Je suis donc évidemment pour la multiplication des lieux dans lesquels on pourrait lire le texte, le commenter ensemble, en public, débattre, opposer les lectures, s'appuyer sur la connaissance d'historiens, de spécialistes de la langue pour ne pas laisser le monopole de la lecture à des individus qui voudraient n'en faire qu'un livre de guerre. Il faut créer des lieux de lecture laïcs, autrement dit non religieux, non confessionnels, pour lire le Coran en philosophe, autrement dit en amoureux de la sagesse.

L'islam doit-il être « essentialisé » comme vous le faites ? Ne doit-il pas être saisi à travers son histoire, et à travers les circonstances de sa conceptualisation ?

On ne peut éviter d'essentialiser, hélas, car c'est ce qui rend possible l'échange, la discussion, le débat. On a tort, mais comment faire autrement ? De fait, quiconque dit « *l*'islam affirme ceci » ou « pense cela » se verra rétorquer que non car *un* autre islam lui donnera tort : celui qui voudra tirer l'islam vers la violence en appellera à la secte des Assassins, la branche iranienne des ismaéliens qui a donné le mot que chacun connaît, et qui se faisait un devoir sacré de mettre à mort les ennemis de la Vérité. Tel autre qui souhaitera montrer que l'islam n'a rien à voir avec la violence en appellera au soufisme, d'origine irakienne, qui, avec sa mystique, associe l'islam à la méditation, à l'art, à la culture, autrement dit, au contraire de ceux qui font couler le sang.

Là aussi, là encore, on peut toujours prélever dans l'histoire un moment de paix et de calme relatif, avec une prospérité économique et culturelle (qu'il faudrait mettre en perspective avec la dhimmitude qui relativise l'irénisme de la relation...), comme *Al-Andalous* et le califat de Cordoue avec l'art hispano-mauresque et l'art mudéjar, ou un autre moment, la conquête de l'Afghanistan en l'an mille qui conduisit les musulmans au massacre de l'Hindu Kush qui entraîna la mort de 80 millions d'hindous entre 1000 et 1525.

À l'heure où nous parlons, il existe des musulmans pour lesquels le modèle est Abd al-Rahman II, émir de Cordoue, protecteur des lettres, mécène, homme cultivé, bibliophile, et d'autres pour lesquels Tamerlan est la référence – Tamerlan dont certaines sources historiques affirment qu'il aurait exterminé 5 % de la population mondiale de son époque à lui tout seul avec ses menées sanguinaires…

Voyez que si l'on n'essentialise pas, on trouvera toujours de quoi justifier au moins deux islams : l'un qui croit à la raison, à l'intelligence, à la culture, à l'échange, au débat, au dialogue, l'autre qui ne compte que sur l'épée et croit, comme disait le Prophète, que « le paradis est à l'ombre des épées »…

Peut-on, doit-on, opposer l'islam et la laïcité ?

Il existe un islam planétaire qui est celui de l'*oumma*, de la communauté : malgré la diversité des pays, l'éclatement sur tous les continents, la multiplicité des langues, la différence des couleurs de peau, malgré les haines fratricides qui opposent partout les sunnites et les chiites, malgré les disparités sociales qui vont du travailleur malien qui vide les poubelles en France à l'émir du Qatar qui rachète le patrimoine historique français, il existe une communauté déterritorialisée qui, avec ses problèmes, reste unie et soudée par un seul et même texte sacré.

Je ne pourrais donc répondre à votre question que pour la France qui est le cas que je connais le moins mal. J'aurais en effet du mal à théoriser ce qui vaudrait aussi bien pour la mégapole indonésienne que pour le village tribal africain, pour le professeur de théologie qui enseigne à l'université d'Al-Azhar au Caire et pour la jeune fille en échec scolaire issue de grands-parents algériens née en France il y a quinze ans.

En ce qui concerne la France (dont nombre de musulmans rencontrés par moi dans des pays musulmans m'ont dit qu'ils s'en désolidarisaient à cause de leur haine de la France qu'ils trouvaient infondée...), il n'y a pas à instrumentaliser l'islam – quelle sinistre perspective ! – mais à lui dire quelle place il a dans la République.

La loi de séparation des Églises et de

l'État est une loi datée. 1905, c'était il y a plus d'un siècle. Comme toutes les lois, celle-ci obéissait à une configuration historique particulière dans laquelle le christianisme était dominant intellectuellement et spirituellement. Il faisait la loi dans les écoles, les hôpitaux, les familles, la vie quotidienne, la politique, le monde culturel, celui des idées. La laïcité d'alors voulait séparer ce qui relevait de César et ce qui relevait de Dieu. L'islam en France à cette époque n'existe pas.

Un siècle plus tard, le christianisme s'est effondré. Il est devenu minoritaire. De la loi de 1905 au mariage homosexuel en 2013, en passant par la légalisation de l'avortement et l'abolition de la peine de mort, la France s'est déchristianisée. La démographie aidant, la spiritualité active, en France, est devenue moins judéo-chrétienne que musulmane.

En France, il existe une position de principe qui ignore le réel et une position pragmatique qui ignore les principes. La première défend la laïcité comme si c'était une religion, c'est le laïcisme : la loi est intangible, elle est inscrite dans le marbre, on n'y touche pas plus qu'à un crucifix ou une hostie pour un dévot. Le principe est respecté, mais le réel continue et on ne peut plus vivre selon ce principe.

La seconde position est iréniste : islamolâtre, elle essentialise l'islam pour en faire la religion des opprimés du Capital. Une certaine gauche souscrit donc au compagnonnage avec cet islam idéalisé, déshistoricisé, idéologisé, parce qu'il offre une formidable perspective révolutionnaire pour abattre le monde capitaliste.

Or je ne souscris à aucune de ces deux religions-là, laïcisme et islamolâtrie, qui toutes deux ignorent le réel. Car, d'une part, il existe une communauté musulmane qui, c'est légitime, revendique le droit de pratiquer dignement sa religion. D'autre part, il existe dans l'islam une fraction minoritaire mais active qui, certes, veut en finir avec le capitalisme (encore que...), mais qui veut aussi en finir avec les valeurs de la République : liberté, égalité, fraternité, laïcité, féminisme.

Nous avons donc besoin d'une éthique de conviction associée à une éthique de responsabilité. Fermer les yeux sur les revendications de l'islam ne va pas les faire disparaître ; fermer les yeux sur le danger d'un certain islam ne va pas non plus faire disparaître ce danger. On doit penser en homme d'action et agir en homme de pensée – pour utiliser la formule de Bergson. C'est-à-dire ?

Proposer un contrat social avec l'islam en France pour qu'il y ait un islam de France. Cet islam devrait prélever ce qui, dans le Coran, dans les *hadîths* du Prophète, dans la biographie de Mahomet (*Sîra*), dans l'islam, dans l'histoire des musulmans, se montre clairement compatible avec les valeurs de la République que je viens de citer. Si tel est le cas (ce qui suppose de renoncer à ce qui justifie la haine et le sang au nom de l'islam…), alors la République donne ce qu'elle doit donner : elle fournit une formation aux imams, elle les salarie, elle surveille les prêches pour qu'ils soient républicains, elle finance les lieux de prière, elle assure la protection des musulmans.

Tout ceci serait assuré par un denier du culte prélevé en fonction des confessions, l'athéisme ou l'agnosticisme constituant une case dans la déclaration. Les sommes seraient affectées au prorata des confessions – l'athée verrait s'il le souhaite son obole dirigée vers des activités culturelles ou les loges de franc-maçonnerie !

Ce financement républicain empêcherait le financement confessionnel issu de pays bailleurs de fonds qui exigent en retour de placer leurs imams prêchant des discours qui leur sont favorables. Le réel est celui-ci : l'islam en France est financé par des pays qui n'ont aucune raison d'aimer la France. Il s'agit alors de solliciter la communauté musulmane pour lui rendre désirable la République et pour que la République compose avec un islam qui, lui aussi, se serait rendu désirable.

Le Coran, je vous le rappelle, n'exige que l'on se soumette à lui que dans les cas « justes »...

En effet, mais que faire quand Mahomet n'est plus là ? Qu'il ne nous reste plus qu'un texte ? Que ses paroles ? Et que ce texte dit des choses contradictoires ? Et que les paroles sont aussi contradictoires ? Et que les commentateurs des paroles contradictoires disent eux aussi des choses contradictoires ?

L'islam est condamné non pas à la soumission, ni même à inviter les siens à la soumission, mais à un travail de réflexion. Dans un texte, il y a l'esprit et la lettre et l'on ne peut jouer l'un sans l'autre ou contre l'autre. Car qui dit de l'esprit ce qu'il est sinon en regard de la lettre ? De même, qui dit de la lettre ce qu'elle est, et ce qu'elle dit, sinon celui qui lit la lettre ? Voilà pourquoi je tiens à égale distance les littéralistes qui ignorent le contexte et les contextualistes qui ignorent la lettre. Le littéraliste produit le fondamentaliste qui confond l'esprit et la lettre et ne lit que ce qui est écrit. En revanche, le contextualiste ne lit pas ce qui est écrit et veut même parfois voir le contraire de ce qui est écrit.

Quand Malek Chebel, partisan d'un islam des Lumières, traduit le Coran, il lui fait parfois dire le contraire de ce qu'il dit afin de supprimer tout ce qui montre que certains textes sont incompatibles avec la modernité démocratique. Ainsi quand le texte dit (VIII) : « Alors que Dieu voulait manifester la vérité par ses paroles et *exterminer* les incrédules jusqu'au dernier » (traduction de Jean Grosjean) ou bien : « Le Seigneur cependant a voulu prouver la vérité de ses paroles, et *exterminer* jusqu'au dernier des infidèles » (traduction de Kasimirski), ou bien : « Le Seigneur cependant a voulu prouver la vérité de Ses paroles, et *exterminer* jusqu'au dernier des infidèles » (traduction de Hadj Noureddine Ben Mahmoud), ou bien : « Allah voulait réaliser la Vérité, par Son arrêt et *exterminer* jusqu'au dernier des infidèles » (traduction de Régis Blachère), Malek Chebel dit : « Allah a voulu que la vérité triomphe en imposant Son verbe et en *éradiquant* les mécréants. » *Exterminer* n'est pas *éradiquer* – d'ailleurs qu'est-ce qu'*éradiquer* un homme ? En revanche, chacun comprendra ce qu'est l'*exterminer*...

Comment définiriez-vous le statut du Coran ? Un texte « divin » dans son contenu et dans sa forme ? Ou « humain » par son langage ?

Le Coran est un texte humain dont les hommes ont dit qu'il était divin, sacré. Le philosophe que je suis ne saurait croire qu'un texte soit divin... D'abord il faudrait croire à la divinité ; ensuite il faudrait croire à une divinité qui parle arabe ; de même, il faudrait croire à une divinité qui dicte à un tiers et s'en fait comprendre comme des humains le pourraient ; enfin il faudrait croire à un tiers qui permette à un homme dont il est dit par ailleurs qu'il est un chamelier ne sachant pas écrire qu'il écrit sous la dictée. Mais croire n'a pas de limite et suppose qu'on ignore la raison, le raisonnable et ce qui les sépare du déraisonnable.

Les historiens du texte disent qu'il y a au moins trois temps en deux périodes historiques pour une même révélation : La Mecque et Médine. De même, il y aurait plusieurs rédacteurs qui auraient noté sur des morceaux de cuir, des tessons de poterie, des nervures de palme, des omoplates ou des côtes de chameau... Il faut compter également avec des gens, sept dit-on, qui gardaient en mémoire ce qui avait été dit. Dans tous les cas de figure, il ne reste aucun texte contemporain de Mahomet. Une première recension a lieu avec Abou Bakr après la bataille d'Aqraba. Cinq ou six autres ont été effectuées en même temps. L'unité est effectuée par le troisième calife, Othman : il classe les sourates non pas selon l'ordre chronologique, mais selon leur longueur décroissante, sauf la première qui devient la prière type de l'islam. Cette version sera ensuite perfectionnée d'un point de vue de l'écriture. Elle est celle qui fait la loi aujourd'hui. Texte historique, donc, bien que sacré. Mais le sacré est l'affaire des hommes qui le décrètent plus que de Dieu.

La pensée islamique doit trouver son chemin entre une lecture stricte du Coran et une interprétation par définition incertaine...

La lecture du Coran est la plupart du temps idéologique, elle suppose qu'a priori, avant même d'avoir ouvert le livre, le lecteur veuille trouver dans le texte ce qu'il veut y trouver, puisque tout s'y trouve et peut être prélevé selon le besoin idéologique ou politique : l'un va isoler ce qui permet un islam de paix, l'autre ce qui justifiera et légitimera un islam de guerre.

Quoi qu'il en soit, ceux qui s'en réclament aujourd'hui connaissent peu ou mal le livre sur lequel ils ont construit leur vie. Il en va de même avec de nombreuses personnes qui, en France, disposent d'un avis sans s'être informés au préalable. Je vais vous donner deux exemples.

Le premier : j'ai partagé un temps d'antenne avec le représentant turc de la communauté musulmane d'une sous-préfecture de Basse-Normandie sur une télévision régionale peu après les attentats du 7 janvier. Après le direct, dans les couloirs, il m'a demandé qui avait écrit... le Coran !

Le second : sur le plateau du « Grand Journal » de Canal+, Alain Juppé affirmait que l'islam était compatible avec la République. Quelques secondes plus tard, je lui demande s'il a lu le Coran. Il me répond que non ! Cet homme qui a été Premier ministre, plusieurs fois ministre, responsable d'un grand parti, le RPR, qui est maire de l'une des plus grandes villes de France, Bordeaux, cet homme qui a été ministre des Affaires étrangères, autrement dit le représentant de la France à l'étranger, y compris dans les pays musulmans où il a incarné la diplomatie française, cette personne qui est désormais candidat aux primaires pour les présidentielles de 2017 et qui pourrait bien être le candidat de la droite républicaine à cette occasion, cet homme, donc, n'a pas lu le Coran – mais dispose tout de même d'un avis sur l'islam...

J'ai eu plusieurs fois l'occasion de mesurer

combien l'inculture en la matière n'interdisait pas à des journalistes ou à des individus de donner un avis très tranché bien que nullement légitime.

Le premier travail qu'on pourrait exiger d'un musulman, c'est qu'il connaisse sa religion, son texte sacré, la vie de son Prophète, ses dits, faits et gestes : ce serait le minimum qu'on puisse demander avant d'envisager un échange, un débat... On pourrait ensuite l'exiger de quiconque formulerait un avis. Qui tolérerait qu'une personne puisse dire qu'elle n'aime pas *La Chartreuse de Parme* sans avoir lu le roman ? Ou qu'il n'apprécie pas la peinture d'un artiste dont il n'aurait vu aucune œuvre ? Ou qu'il n'apprécie pas la cuisine d'un grand chef sans jamais être allé goûter ses plats ?

Comment faire face à l'obscurantisme et à l'autoritarisme de certaines élites politiques trop soumises à des institutions religieuses ?

Dès que l'islam devient politique, la catastrophe est quasi assurée... Tant qu'il est une affaire intime, personnelle, qui ne concerne que les rapports *entre soi et soi,* qui fournit personnellement une identité, des racines, des repères, une boussole intellectuelle, spirituelle, morale, philosophique, il est défendable et doit être soutenu, aidé. Il n'y a rien à dire ou redire contre un islam vécu de manière intime, personnelle, subjective.

Quand il devient politique, il n'est plus une affaire entre soi et soi mais une affaire *entre soi et les autres*. Dès lors, il suppose obligation et contrainte vis-à-vis du tiers, l'ordre intimé à l'autre de faire ceci et de ne pas faire cela, de s'habiller comme ceci et de ne pas s'habiller comme cela, de manger ceci et de ne pas manger cela, de boire ceci et de ne pas boire cela, de penser ceci et de ne pas penser cela, de se comporter comme ceci et non comme cela.

Il implique qu'on donne des ordres au tiers, mais aussi qu'on le punisse sévèrement s'il n'obéit pas : les enfants doivent renoncer au cerf-volant, les jeunes à la musique, les adultes aux jeux de société, les femmes au cheveux libres et aux jupes courtes, les hommes à l'alcool, le ramadan est obligatoire, les cinq prières aussi, le pèlerinage également, sans oublier l'aumône et le jeûne.

Dans ces cas-là, les coups de fouet ne sont

pas loin, les mains tranchées non plus, mais aussi les pendaisons publiques, les visages vitriolés en cas de maquillage, la prison, les coups, les mauvais traitements. Voire la mort. La sourate qui prescrit « Pas de contrainte en matière de religion » est alors bien loin. Et le « Dieu miséricordieux » invoqué au début de chaque sourate du Coran semble lui aussi bien lointain.

Conclusion

Pour ne pas conclure

Le vendredi 13 novembre, à Paris, le terrorisme islamique a encore frappé, on le sait. Stade de France, Bataclan, terrasses de cafés. J'ai appris l'information en Amérique du Sud alors que je finissais une tournée de conférences au Chili, au Brésil et en Guyane. J'étais à Cayenne, sous la fournaise, dans la mairie bondée, quand l'information m'a été donnée. Je l'ai partagée avec la salle en temps réel. Avec quatre heures de décalage, il était 21 h 30 heure locale, soit 1 h 30 en métropole. Si je n'avais eu aucune compassion, je n'en aurais rien dit. Cinq cents personnes peuvent témoigner, dont des journalistes.

Rentrant à mon hôtel, j'ai découvert mes messages. J'ai été sollicité par de nombreux supports télé, radio, écrits. D'abord *Le Soir* en Belgique, le *Corriere* en Italie, le *Stern* en

Allemagne – puis d'autres le temps passant, en Suisse, au Danemark, au Chili, au Maroc, en Espagne, etc. *Le Point* m'ayant également sollicité pour un numéro spécial à paraître trois jours plus tard, le lundi, je leur ai donné la primeur en souhaitant que, de Paris, leur rédaction gère la diffusion internationale de mon texte après parution française. Voici la version rédigée le samedi 14 novembre à 10 heures du matin heure guyanaise (14 heures en métropole) à l'hôtel Ker-Alberte. Je n'y ai rien ajouté ou retranché :

Après l'annonce des attentats cette nuit à Paris, vous avez écrit sur votre compte Twitter : « Droite et gauche qui ont internationalement semé la guerre contre l'islam politique récoltent nationalement la guerre de l'islam politique. » N'avez-vous pas l'impression de faire le procès de la victime plutôt que celui du coupable ?

Le travail du journaliste est de commenter ce qui advient, celui du philosophe, de mettre en perspective ce qui est avec les conditions qui ont rendu possible ce qui advient. Le chef de l'État parle d'« acte de guerre ». Les Républicains et le Parti socialiste aussi. Tout le monde semble enfin convenir qu'il s'agit d'actes de guerre. C'est déjà un progrès ! Il y a peu on parlait encore d'actes commis par des déséquilibrés, de gens au passé psychiatrique lourd, de loups solitaires. Dès lors qu'il s'agit de guerre, il faut la penser. Le journalisme télé a moins le souci de penser la guerre que de mettre en scène le spectacle de la terreur et de le commenter en se contentant de dire ce que chacun voit à l'écran. Le philosophe se demande d'où elle vient. Qui l'a déclarée ? Quand ? Pourquoi ? Quels sont les belligérants ? Quelles sont leurs raisons ? Il faut dès lors sortir du temps court du journaliste qui vit d'émotion pour entrer dans le temps long des philosophes qui vit de réflexion. Ce qui a eu lieu le vendredi 13 novembre est certes un acte de guerre, mais qui répond à d'autres actes de guerre dont le moment initial est la décision de détruire l'Irak de Saddam Hussein par le clan Bush et ses alliés il y a un quart de siècle. La France fait partie depuis le début, hormis l'heureux épisode chiraquien, de la coalition occidentale qui a déclaré la guerre à des pays musulmans. Irak, Afghanistan, Mali, Libye… Ces pays ne nous menaçaient aucunement avant que nous leur refusions leur souveraineté et la possibilité pour eux d'instaurer chez eux le régime de leur choix. La France n'a pas vocation à être le gendarme du monde et à intervenir selon son caprice dans tel ou tel pays pour y interdire les choix qu'il fait.

Faire porter la responsabilité à l'État français qui est engagé militairement en Syrie, n'est-ce pas une manière de dédouaner les terroristes ?

*Non. C'est se demander ce que signifie faire la guerre à un peuple qui est celui de la communauté musulmane planétaire, l'*oumma. *La France est-elle à ce point naïve qu'elle imagine pouvoir déclarer la guerre à des pays musulmans sans que ceux-ci ripostent ? Le premier agresseur est occidental, je vous renvoie à l'Histoire, pas à l'émotion. Il est même identifiable : il s'agit de George W. Bush qui invente d'hypothétiques armes de destruction massive pour attaquer l'Irak en 2003, en rétorsion prétendue au 11 Septembre 2001 de Ben Laden. Je vous rappelle qu'avant cette date le même Ben Laden était de mèche avec les services secrets américains contre les Soviétiques qui avaient envahi l'Afghanistan. La situation dans laquelle nous sommes procède donc d'une longue chaîne causale qu'il revient au philosophe de décrire. L'acte* terroriste en tant que tel est le dernier maillon de cette chaîne.

Considérez-vous vraiment les terroristes comme des militants de l'islam politique ?

Comme quoi sinon ? Comme des fameux loups solitaires, d'inévitables déséquilibrés, d'incontournables malades au passé psychiatriques qui, tous, crient des slogans de l'islam radical au moment de leurs forfaits, mais qui n'auraient évidemment rien à voir avec l'islam ? Tous sont fichés comme relevant de la mouvance islamique radicale, mais il ne s'agirait pas d'islam politique ? Pareille dénégation signifierait un aveuglement coupable, dangereusement coupable. Il s'agit bien de la frange radicale et politique de l'islam salafiste. Commençons par nommer les protagonistes correctement.

Leur radicalisation obéit-elle à un choix rationnel ?

Bien sûr. C'est une guerre menée par l'islam politique avec autant d'intelligence que l'Occident mène la sienne, mais avec moins d'armes ou

*avec d'autres armes que les nôtres — des cou-
teaux et non des porte-avions, des kalachnikovs
à 500 euros et non des avions furtifs coûtant
des millions de dollars. Ils ont leurs théolo-
giens, leurs idéologues, leurs stratèges, leurs tacti-
ciens, leurs informaticiens, leurs banquiers, leurs
intendants militaires. Ils ont aussi leurs soldats,
aguerris et déterminés, invisibles mais présents
sur toute la planète. Plusieurs milliers, dit-on,
en France. Ils ont des plans. Ils disposent également d'une vision de l'Histoire, ce que nous
sommes incapables d'avoir, tout à notre matérialisme trivial qui obéit aux combines électorales,
aux mafias de l'argent, au cynisme économique,
à la tyrannie de l'instant médiatique. Le califat a clairement livré ses intentions. Mais notre
dénégation est coupable. Leur dénier le droit de
dire qu'ils sont un État islamique doublé de l'invitation politiquement correcte à dire qu'il s'agit
de Daesh (alors qu'il s'agit de l'acronyme d'État
islamique en arabe…), faire d'eux des barbares
(alors qu'ils font à la disqueuse et au marteau-
piqueur ce que l'Occident fait avec des avions
furtifs — je vous rappelle qu'une partie des sites
mésopotamiens ont été détruits par les bombardements US sans émotion internationale…), les
qualifier de terroristes (alors que, certes, ils tuent*

des victimes innocentes avec des kalachnikovs ou des couteaux mais que l'Occident fait de même à plus grande échelle avec des bombes lâchées à haute altitude sur des villages, bombes qui tuent femmes et enfants, vieillards et hommes qui n'ont rien à se reprocher, sinon d'habiter le pays associé à l'« axe du mal »), tout ça fait que nous sous-estimons en tout point leur nature véritable qui n'est pas à mépriser. Surtout si l'on envisage un jour une solution diplomatique, comme je le souhaite.

Même sans une intervention en Syrie, ne pensez-vous pas que Daesh aurait frappé de toute façon la France ?

Je ne fais pas de politique-fiction en supposant ce qu'auraient fait des pays pour justifier que de manière préventive on les bombarde pour les empêcher de faire ce qu'on suppose qu'ils auraient fait ! La fameuse « guerre préventive » de Bush et des siens procède de ce genre de procès d'intention qui justifie l'attaque parce qu'on a décidé d'attaquer. Prenons garde à faire trop peu avec ce qui est et trop avec ce qui pourrait être. Par ailleurs, ce n'est pas la Syrie que nous payons, mais l'Irak et ses suites, dont la Syrie qui est

la partie la plus récente, donc la plus médiati-
quement visible de cette guerre déclarée en 1990
– pour information, juste après la chute du mur
de Berlin, autrement dit dans la perspective de
reconstruction du monde à leur main par les
Américains débarrassés de la guerre froide...

Dans son communiqué de revendication,
Daesh parle à propos des victimes du Bata-
clan de « centaines d'idolâtres dans une fête
de perversité ». Ces gens-là ne haïssent-ils pas
avant tout ce que nous sommes ?

C'est en effet une guerre de civilisation. Mais
le politiquement correct français interdit qu'on le
dise depuis que Samuel Huntington en a excel-
lemment fait l'analyse en 1993. La civilisation
islamique à laquelle renvoie l'État islamique
est en effet puritaine. Je vous signale que votre
question permet de comprendre que la France
dispose d'une « identité nationale », qu'on voit
d'autant plus volontiers quand l'identité isla-
mique la met en lumière dans le contrepoint his-
torique du moment. Mais comme il est également
idéologiquement criminel de renvoyer à l'identité
française, il n'a pas été question, pendant long-
temps, de dire qu'il y avait en effet un mode

de vie occidental et qu'il n'était pas le mode de vie islamique. Les thuriféraires du multicultura-lisme avouent qu'il y a bien plusieurs cultures et parmi celles-ci, certaines qui défendent le rock dans des soirées festives alors que d'autres font de ce même événement une « fête de la perver-sité ». Les cultures se valent-elles toutes ? Oui, disent les tenants du politiquement correct. J'ai pour ma part tendance à croire supérieure une civilisation qui permet qu'on la critique à une autre qui interdit qu'on le fasse et punit de mort toute réserve à son endroit.

Voyez-vous dans cet événement la réalisa-tion de la prophétie de Camus dans La Peste : **« La peste réveillerait ses rats et les enverrait mourir dans une cité heureuse » ?**

En effet, La Peste *se conclut sur cette invita-tion à prendre garde au réveil de toutes les pestes, autrement dit de toutes les idéologies qui exter-minent ceux qui les refusent. À l'époque, les défen-seurs de la peste du moment, les totalitarismes rouge et brun, dont Sartre, le lui reprochaient. Les défenseurs de la peste du jour, héritiers du logiciel sartrien, affichent un pareil aveuglement devant cette vérité exprimée par Camus : la peste revient, en effet. Mais les premiers rats sont visibles depuis longtemps dans la cité... Ceux qui ont annoncé leur présence ont été crucifiés en même temps que la maladie se répandait.*

La France doit-elle se désolidariser de la coalition internationale engagée en Syrie et en Irak ?

Je suis en effet partisan d'une remise à plat totale de la politique étrangère française. Si nous continuons à mener cette politique agressive à l'endroit des pays musulmans, ils continueront à riposter comme ils le font. Envoyer des troupes au sol en Syrie serait répandre des fleuves d'huile sur le feu. La France devrait cesser cette politique néocoloniale et islamophobe alignée sur les États-Unis. Elle devrait retirer ses troupes d'occupation dans tous les endroits concernés. Elle devrait prendre l'initiative d'une conférence internationale qui viserait à constituer un front diplomatique à même de négocier une neutralité associée à un respect de la souveraineté politique de chacun de ces pays qui ont le droit de faire ce qu'ils souhaitent sur leur territoire sans que nous le leur interdisions. Au nom de quoi, d'ailleurs, leur interdisons-nous le droit à se déterminer comme ils le souhaitent et

selon leurs raisons ? Pour ne pas aborder cette ques-
tion, on préfère dire qu'on agit contre le terrorisme
alors qu'on le crée ainsi, car il n'existait pas avant
qu'on le fasse naître de la sorte. Une trêve pourrait
alors être signée entre l'État islamique et la France
pour que son armée dormante sur notre territoire
pose les armes. De Gaulle en son temps avait pro-
posé aux combattants pour l'indépendance algé-
rienne la « paix des braves ». Quand Jean-Pierre
Chevènement démissionne du gouvernement Ro-
card le 29 janvier 1991 pour se désolidariser de
Mitterrand qui inaugure cette politique étrangère
dont nous récoltons aujourd'hui les fruits, il indi-
quait la voie qu'il fallait emprunter. Hélas, il a
été vilipendé par les médias et les intellectuels qui
ont justifié ces guerres qui nous rattrapent sur notre
territoire. Jean-Pierre Chevènement serait l'homme
adéquat pour piloter au nom de la France cette
politique de désengagement militaire. Mais je n'en-
gage que moi en donnant le nom de Jean-Pierre
Chevènement qui, lui, a le sens de l'Histoire, l'ex-
périence politique, la culture adéquate et la connais-
sance concrète des pays concernés.

Les attentats de Charlie Hebdo et de l'Hyper
Cacher avaient été suivis d'un mouvement
d'unité nationale. Pensez-vous qu'il en sera

de même après la tragédie de cette nuit ?
Craignez-vous une guerre civile ?

Je ne crois pas que la petite politique proposée
par Hollande soit de nature à peser sur l'Histoire.
Il nous faudrait une grande politique dont il n'est
pas capable — dont il n'a jamais été capable
et dont il ne sera pas capable. État d'urgence,
drapeaux en berne, minutes de silence, fermeture
des lieux publics, mouvements de menton mé-
diatiques, numéro vert, crêpe sur les drapeaux,
voilà qui fait bien une petite politique à court
terme, mais sûrement pas la grande politique
dont la France a désormais besoin. Je crains que
des groupuscules d'extrême droite, la vraie, pas
celle que la politique politicienne instrumenta-
lise en l'associant à Marine Le Pen, ne s'arme,
ne se constitue en milice, effectue des opérations
commandos, commette des passages à tabac, des
ratonnades, des incendies de mosquées et autres
crimes et délits pour déstabiliser la démocratie.
Car, rappelons-le, dans ces temps où l'expression
« extrême droite » n'est utilisée que dans des pers-
pectives électoralistes pour assurer leur réélection
aux libéraux de droite et de gauche, l'extrême
droite, c'est ça : j'en appelle non pas à l'idéo-
logie politicienne du moment mais à l'Histoire.

Qu'on se souvienne des SA nazis, de la milice vichyste, de la Phalange franquiste, la Kesa de la Grèce des colonels, il s'agissait alors vraiment d'extrême droite : elle est toujours paramilitaire, active sous forme de commandos, et, différence majeure avec celle avec laquelle les politiciens se font peur et les communicants font leur beurre, elle agit hors la légalité.

Pensez-vous que cette tragédie va créer un malaise avec la communauté musulmane en France ?

Hélas oui, je le crains. Je le crains d'autant plus que nombre d'individus ont intérêt à faire s'effondrer le système démocratique en France, de l'extrême gauche à l'extrême droite, la vraie, et que monter les Français contre l'ensemble de leur communauté musulmane s'avère facile et de rapport direct, malheureusement.

Sommes-nous vraiment en guerre ?

Oui, depuis plus longtemps que le vendredi 13 novembre... S'il fallait une date, rappelons-nous l'abattage du membre du GIA algérien, auteur de l'attentat dans le RER à la station Saint-Michel et autres opérations commandos, Khaled Kelkal, le 29 septembre 1995. J'avais alors écrit dans Globe *que si l'on abordait le problème ainsi, on allait vers la catastrophe. Nous y sommes. Car la pire réponse à la violence est la violence.*

Face à cette situation, le peuple français a-t-il suffisamment d'anticorps pour résister sans se déchirer ?

Il y a chez les Français une ferveur sans objet. Faute d'un grand projet politique auquel il aspirerait volontiers et auquel il adhérerait sans coup férir si on le lui proposait, le peuple est contraint à des palinodies : ressasser des slogans infantilisants, assister à des manifestations sans revendications, allumer des bougies à poser sur les fenêtres, déposer des fleurs, écrire des poèmes, faire des photos (sinon des selfies...) des lieux du drame. À quoi il faut ajouter aujourd'hui le pitoyable « Pray for Paris ». N'aurions-nous donc plus rien d'autre à faire et à proposer au peuple que prier ? Les anticorps sont à disposition, mais il manque une occasion historique pour cristalliser cette force qui ne demande qu'une forme. Le prie-Dieu ne saurait être l'horizon indépassable de la politique internationale de la France.

Faites-vous confiance à François Hollande pour surmonter cette nouvelle épreuve ?

Pas du tout...

★

Le tweet a généré d'abondantes réactions négatives. Sous la chape de plomb médiatique qui pèse en Occident, comme jadis le poids de la police politique dans les dictatures, la compassion fait la loi. Les allumeurs de bougies, les auteurs de vers de mirliton, les photographes d'eux-mêmes, les dociles aux slogans, ne conçoivent pas qu'on puisse opter pour autre chose que pour leur geste auquel je n'ai rien à redire. D'aucuns parmi eux n'imaginent pas qu'on puisse vouloir faire son métier de philosophe. Chacun s'autorisant de soi désormais pour donner son avis, il devient fautif, pour celui qui pense l'événement, d'essayer de le faire en temps réel. Il aurait fallu respecter un délai de décence et ne penser que plus tard. Quand d'ailleurs ? À partir de quel moment ? Qui aurait décidé de la fin du délai ? Au nom de quoi ? Demande-t-on un délai de décence au soldat, au militaire, au guerrier, au ministre, aux responsables de la Défense nationale pour penser ici et maintenant et agir en conséquence ? Faudra-t-il bientôt demander l'autorisation de penser quand le pouvoir médiatique exige la compassion ?

De même, il m'aurait fallu songer aux familles des victimes. Certes, entendu... Mais, d'abord, je crains que ces pauvres familles éplorées aient bien autre chose à faire sur le moment que de parcourir la twittosphère et de s'indigner, parmi des millions de tweets, de tel ou tel d'entre eux, fût-ce le mien. Ensuite, c'est mépriser ces familles que de croire qu'elles ne voudraient que des bougies, des fleurs, des poèmes et des selfies. Elles peuvent aussi vouloir comprendre pourquoi ces choses-là ont eu lieu comme elles ont eu lieu et quelles sont les causes dont l'effet ravage leur vie.

La compassion interdit souvent de penser, alors que penser n'interdit pas la compassion.

Sauf qu'on peut opter pour une compassion retenue, privée, intime, et ne pas tenir pour digne cet affichage de larmes, de cris, de pleurs, de sanglots, le tout en présence des caméras et des photographes. L'affichage de compassion n'est pas forcément preuve de compassion, mais il est toujours preuve d'affichage. Après La Rochefoucauld et les moralistes français, Nietzsche nous a appris à nous méfier de la compassion : elle est souvent l'une des modalités de l'amour de soi : Dieu qu'on se sent grand quand on se fait petit ! Dieu qu'on est orgueilleux quand on affiche sa modestie ! Dieu qu'on est égoïste quand on fait un spectacle de son amour des autres ! Laissons là le narcissisme de notre époque qui fait de l'exhibition de son pathos une valeur supérieure à l'exercice de la pensée.

★

Je laisse de côté l'incapacité d'un grand nombre de journalistes et des quidams à leur suite à lire ce qui est écrit par désir de voir ce qu'ils voudraient que j'écrive. Après avoir été présenté comme un islamophobe par la presse de gauche qui voit la victime dans le bourreau et le bourreau dans la victime, après avoir été copieusement embrené par la même presse, *Libération* et *Le Monde* en tète, comme « faisant le jeu du Front national » (eux qui tiennent superbement ce rôle depuis 1983...), je me suis retrouvé présenté comme un complice de l'État islamique ! Faudrait savoir les amis ! Un islamophobe faisant le jeu du FN complice de l'État islamique, il faut bien qu'il s'agisse soit d'une pathologie mentale de ma part (et j'accepte volontiers l'expertise psychiatrique...), soit d'une pathologie mentale de la leur (j'ai mon avis sur le sujet...).

De quoi serais-je coupable ? D'avoir fait de l'État islamique un État islamique. Car cet État n'en est pas un, nous dit-on ; de même qu'il n'est pas islamique. Que bombarde-t-on, donc, si ce n'est un territoire dans lequel règnent une idéologie, un droit : la charia, une armée, une police, un drapeau, une devise, une monnaie – fulus de cuivre, dirhams d'argent et dinars d'or ? Il n'y a pas d'État islamique, nous dit l'État français, mais Daesh. Bien. Mais qu'est-ce que Daesh ? L'acronyme d'État islamique en Irak et au Levant (EIIL), littéralement « État islamique en Irak et dans le

Cham », en anglais ISIS, ce que signifie l'acronyme arabe *Daesh*. L'État islamique n'existe pas, il n'est ni un État ni islamique, mais il existe Daesh qui dit, mais dans la langue arabe, qu'il existe un État islamique, qu'il est un État et qu'il est islamique. Faut-il pleurer, faut-il en rire ? Rabelais faisait dire à Pantagruel : « Si les signes vous fâchent, ô quand vous fâcheront les choses signifiées ! »

Par ailleurs, j'aurais donné du crédit à leurs soldats en disant qu'ils étaient... des soldats. « Terroristes » est préférable, me dit-on ! Il y a encore quelque temps, le mot était interdit. J'ai même souvent lu, aujourd'hui encore, « terroristes présumés » pour parler de tueurs avérés. Aujourd'hui, l'État français a décidé qu'il fallait l'utiliser et que quiconque ne l'utiliserait pas ferait le jeu des terroristes... Or, terroriste est aussi dans l'Histoire un mot qu'utilisent les pouvoirs en place pour disqualifier les combattants d'en face.

L'État islamique dispose de soldats, qu'on le veuille ou non, prêts à mourir pour leur État. Et parmi eux, dans la communauté déterritorialisée, des citoyens français et d'autres francophones – 20 %, ai-je lu. Leurs armements ne sont pas ceux de l'Occident, et tant mieux pour nous, mais il n'y a pas dix mille façons de faire la guerre sur terre depuis que l'humanité existe : il s'agit de faire couler le sang de l'ennemi et toute guerre totale fait de celui qui vit sur le territoire attaqué un ennemi, quoi qu'il fasse, dise ou pense. On sait que ce terrorisme islamique fait des victimes musulmanes, les terroristes le savent, mais ça n'est pas leur problème.

Le même État français avec ses communicants et ses réseaux médiatiques avait décidé, jadis, que quiconque parlait de *guerre* pour caractériser la situation ou celle qui nous y conduirait était jugé complice, une fois encore, de Marine Le Pen. Annoncer que nous étions en guerre ou que nous allions vers un état de guerre, c'était même la précipiter, sinon la créer. La pensée magique consistant à rendre responsable et coupable de la mort le facteur qui apporte le faire-part de décès a transformé en pestiférés sinon en néofascistes un certain nombre d'intellectuels qui faisaient leur métier. Dont moi.

D'autres enfin m'ont fait la remarque que les terroristes ne sont pas les représentants de l'islam politique – ce que je sais. Mais on aura du mal à me faire croire que les terroristes ne représentent pas l'une des modalités de l'islam politique. Chercher la petite bête sémantique en reprochant une chose sous prétexte qu'elle n'a pas été dénoncée dans un texte qui parle d'autre chose est un procédé dont j'ai l'habitude. Cette façon de procéder veut faire croire que le terrorisme n'a rien à voir avec l'islam politique : le reproche qu'on me fait désigne celui qui pense que les terroristes ne sont pas des musulmans. Pas d'amalgame...

C'est donc toujours la même logique de dénégation : l'État islamique n'est pas un État et il n'est pas islamique ; les terroristes ne sont pas des terroristes, mais dire *les soldats de Daesh* est coupable parce qu'il faut dire terroristes ; parler de l'islam politique, ce serait dire que les terroristes incarnent tout l'islam politique, or l'islam n'a rien à voir avec la politique, bien qu'il en fasse tout de même sur toute la planète et dans tous les pays où règne la charia. Penser est devenu compliqué quand les mots ne veulent plus rien dire...

★

Autre remarque : la France aurait été visée pour *ce qu'elle est* et non pour *ce qu'elle fait*. Ce

qu'elle est ? Une image, un cliché. Il a beaucoup circulé sur le net, je l'ai reçu bien sûr,
ce texte issu, dit-on, du *New York Times* :
« La France incarne tout ce que les fana-
tiques religieux du monde détestent : la joie
de vivre par une myriade de petites choses :
le parfum d'une tasse à café et des croissants
le matin, de belles femmes en robe souriant
librement dans la rue, l'odeur du pain chaud,
une bouteille de vin que l'on partage entre
amis, quelques gouttes de parfum, les enfants
qui jouent dans les jardins du Luxembourg,
le droit de ne croire en aucun dieu, de se
moquer des calories, de flirter, de fumer et
apprécier le sexe hors mariage, de prendre
des vacances, de lire n'importe quel livre,
d'aller à l'école gratuitement, jouer, rire, se
disputer, se moquer des prélats comme des
politiciens, de ne pas se soucier de la vie après
la mort. Aucun pays sur terre n'a de meilleure définition de la vie que les Français. »
    Mais alors pourquoi la Suisse, l'Irlande, la
Finlande, l'Islande, pays dans lesquels il y a
aussi des croissants et du café, de l'alcool et
de la cuisine, des amis et des adultères, de
belles femmes et des enfants dans les jardins,
des athées et du parfum, des librairies et des

écoles publiques, n'ont-elles jamais à déplorer une seule explosion terroriste au nom de l'idéologie islamique ? Parce que ces États ne bombardent pas les pays musulmans, au contraire de la France.

Croire et affirmer que le terrorisme ne concerne la France que par *ce qu'elle est* et non par *ce qu'elle fait* est une erreur. D'abord parce que l'essentialisation n'est pas une bonne chose, la France est une plurivocité historique : elle est Robespierre & Cadoudal, la Commune & Thiers, Pétain & de Gaulle, Sartre & Camus, les porteurs de valises du FLN & les militants de l'OAS, Giscard & Mitterrand. Ensuite parce que cette façon de faire dédouane de ce qui est fait. Mieux, ou pire : en écartant l'hypothèse que la France est touchée pour ce qu'elle est, pas pour ce qu'elle fait, on justifie qu'elle puisse faire encore ce qu'elle fait – c'est-à-dire bombarder, bombarder, bombarder. Si l'on affirme que le pays est attaqué pour ce qu'il est, alors aucune solution diplomatique n'est possible et c'est la guerre seule qui est la riposte adéquate. Et la guerre jusqu'à l'écrasement final des habitants de Daesh. Or la guerre seule est la pire des solutions quand on n'a pas tout essayé pour l'empêcher.

À quoi bon toutes ces cérémonies aux monuments aux morts des années après pour conclure, des millions de morts plus tard, que la guerre était une sottise ? En témoignent : les poilus français et allemands main dans la main, à l'Arc de triomphe, pour ranimer la flamme du soldat inconnu ; le penseur et soldat Ernst Jünger, héros côté allemand de la guerre 14-18 qui tuait des Français avec jubilation, et qui se trouve néanmoins présent aux côtés de François Mitterrand, président de la République française, et d'Helmut Kohl, chancelier allemand, pour commémorer le soixante-dixième anniversaire de la Première Guerre mondiale. De même : les vétérans du Reich allemand et ceux des armées alliées dans les bras les uns des autres, au Mémorial pour la Paix de Caen, lors des cérémonies de commémoration du cinquantenaire du débarquement du 6 juin 1944. Seul l'imbécile a besoin que la guerre soit faite pour comprendre qu'il aurait mieux valu tout faire pour ne pas avoir à la faire. A-t-on tout fait ? Non. Je crois même qu'on a tout fait pour la faire, sans jamais avoir essayé quoi que ce soit qui ait pu empêcher qu'elle ait lieu.

La guerre est désormais acquise : la France, hier pauvre, au bord du dépôt de bilan, à deux doigts de la faillite, incapable d'augmenter le SMIC d'un seul euro, dette oblige, a miraculeusement trouvé l'argent pour faire une guerre sans fin. Par quel tour de passe-passe ? Comme c'était prévisible, le président de la République a choisi de répondre aux attentats du vendredi 13 novembre par plus de bombardements. De la même manière que le Goulag soviétique était la preuve qu'il fallait encore plus de marxisme-léninisme pour les abolir, augmenter la politique qui conduit au terrorisme est présenté comme la réponse adéquate pour obtenir la fin du terrorisme. On bombarde l'État islamique, certes. Mais les terroristes sont à Saint-Denis ou dans un quartier de Molenbeek. Entre 500 et 1 000 (pas plus ?) sont en France et sont français. Que va-t-on bombarder pour anéantir cette armée secrète ? Un quartier de Saint-Denis ? Une ville de Belgique ? La petite cité de Lunel, près de Montpellier, où une vingtaine de jeunes, dans une commune de 26 000 habitants, sont partis faire le djihad ? Où l'on voit que cette politique des bombardements de l'État islamique n'est qu'une réponse de matamore ignorant qu'il faudra un jour faire la paix avec ceux auxquels on a fait la guerre et qu'il faut commencer par faire tout ce qui est à faire pour ne recourir à elle qu'en dernier recours.

Pour justifier cette guerre, outre ce paralogisme qu'elle abolirait ce qu'elle crée, le terrorisme, il faut compter également avec un autre sophisme activé par les va-t'en-guerre : le recours à Hitler – dont on se demande, vraiment, s'il a bien perdu la guerre tant il est utile à tant depuis son suicide... Combien de fois a-t-on assisté à l'assimilation d'un tyran à Hitler pour empêcher de penser : si Saddam Hussein est Hitler, comme il fut affirmé sur de grandes affiches à Paris en 1990 avec portrait du dictateur, alors il faut en effet ne pas barguigner et assassiner le tyran sans autre forme de procès. Mais si Saddam Hussein était Hitler, alors pourquoi la France lui vendait-elle des centrales nucléaires pendant que le Raïs finançait la campagne présidentielle d'un qui fut président ? Si Bachar El Assad est Hitler, alors pourquoi l'avoir invité, lui et ses soldats, à parader sur l'avenue des Champs-Élysées le 14 juillet 2011 ? S'il était

Hitler, pourquoi le même président de la République, Nicolas Sarkozy, a-t-il également
invité Kadhafi à planter sa tente dans le parc
de l'hôtel Marigny en décembre 2007 avant
de lui offrir une visite guidée de Versailles ?
Comparaison n'est pas raison. Hitler fut Hitler, et c'est bien assez. Sortir ce nom mal
famé vaut comme une interdiction définitive
de penser. L'État islamique n'est pas nazi,
comme on peut le lire ou l'entendre de temps
en temps. Et le calife n'est pas Hitler. L'État
islamique est ce qu'il est, et il faut dire quoi ;
le calife est ce qu'il est, et il faut dire quoi. À
partir de ce moment, on peut commencer à
penser et dire ce qu'il est en évitant d'affirmer
qu'il est ce qu'un autre fut.

★

On me dit aussi qu'il a fallu, depuis un
quart de siècle, agir ici ou là, Irak et Afghanistan, Mali et Centrafrique, Libye et Syrie,
au nom du fameux « droit d'ingérence ». La
France aurait une réputation à tenir : celle
de la nation qui, ayant inventé les droits de
l'homme, aurait l'obligation de les faire respecter sur la planète entière. Il lui faudrait

donc se faire le gendarme de l'univers et intervenir, militairement s'entend et non cultu-
rellement, pour rétablir l'ordre que nous,
France, nous estimerions troublé.

Au nom de quoi pouvons-nous justifier que
notre civilisation serait tellement supérieure
que, de facto, elle mériterait de s'imposer par
les armes à telle ou telle autre civilisation ?
Si ce principe français s'avérait universel,
alors il permettrait à d'autres civilisations de
penser de la même manière et, de ce fait,
il justifierait les interventions militaires sur
notre territoire. Si ce qui vaut pour nous ne
vaut pas pour tous les autres, alors qu'est-ce
qui justifie cette extraterritorialité ontologique
– sinon cette folie que nous habillons d'un
beau concept sophistique : la vieille logique
colonialiste.

C'est en effet au nom des droits de l'homme
et de la civilisation, de la Révolution française, mais aussi de l'économie et de la politique, que Jules Ferry justifie le colonialisme
français. Le 28 juillet 1885, à l'Assemblée
nationale, ce parangon de républicain justifie que la France, au nom de sa supériorité,
puisse faire la loi dans nombre de pays du

monde sous prétexte qu'elle doit leur imposer son mode de vie pour leur bien.

Mais pourquoi donc cette loi ne se trouve-t-elle jamais appliquée ailleurs que dans des pays dont le sous-sol est intéressant pour la France, ou dans des pays dont la situation géostratégique est utile à la France, ou dans des pays dont l'arsenal militaire est suffisamment étique pour qu'il ne menace jamais vraiment la France ? Voilà pourquoi la France, avec son allié américain, bombarde tel ou tel pays et pas d'autres... La Corée du Nord, Cuba, ou même l'Algérie, quand le GIA faisait des centaines de milliers de morts – 500 000, dit-on –, n'ont jamais déclenché le reflexe du droit d'ingérence.

Intervenir dans les affaires d'un État rend possible que cet État intervienne dans nos affaires : au nom de quoi pourrait-on justifier que la France puisse intervenir dans un pays et qu'en réponse ce pays n'ait pas le droit d'intervenir lui aussi en France ? Sinon en vertu d'un principe de supériorité et de domination qui autoriserait l'usage de la force contre tel pays et interdirait que ce même pays réponde à cette force par la violence.

Comment a-t-on pu imaginer qu'un

demi-siècle d'ingérence occidentale dans les
affaires de nombreux pays arabes ne géné-
rerait à aucun moment une réponse selon
les mêmes logiques : les bombes judéo-
chrétiennes ici, les kalachnikovs islamiques
là, la technologie de guerre occidentale ici
contre la guérilla urbaine des terroristes là,
la grande guerre des nations puissamment
armées ici contre la « petite guerre » théorisée
par Clausewitz là. Tant que la loi du talion
primera, il n'y aura ni droit, ni paix. Augmenter les frappes, c'est augmenter le risque
terroriste en retour – car nul personne sensée
ne niera la liaison.

★

Le pouvoir en place a donc décidé que
c'était la guerre – finie l'époque où le dire
c'était « faire le jeu du Front national ». Manuel Valls, matamore en chef, a même affirmé qu'il était « prêt à examiner toutes les
solutions », même celles de la droite – journal
de 20 heures de TF1, 14 novembre 2015. Je
me souviens que le même Valls avait affirmé
sur Europe 1 que l'homme de gauche que
j'étais était devenu un homme d'extrême

droite pour avoir écrit dans *Le Point* que je
préférais une idée juste d'Alain de Benoist
à une idée fausse de BHL, voire une idée
juste de BHL à une idée fausse d'Alain de
Benoist. Voilà que Manuel Valls s'est rallié
à mon idée de bon sens : il préfère enfin
des idées de droite efficaces à des idées de
gauche inefficaces. Je n'aurais pas la cruauté
de dire qu'ainsi il fait le jeu du Front national et que, venu de la gauche, si, si, il flirte
dangereusement avec extrême droite quand
il reprend ses idées pour examiner leur fai-
sabilité : restaurer le contrôle aux frontières,
expulser les imams radicalisés, déchoir de la
nationalité française ceux qui bafouent les
valeurs de la France, placer en détention les
4 000 personnes fichées pour terrorisme sur
le territoire national, annoncer, oui, oui, qu'il
sera procédé à des coups de canif dans la
Déclaration des droits de l'homme – idées
auxquelles, pour ma part, je n'ai jamais souscrit, auxquelles je ne souscris toujours pas et
auxquelles je ne souscrirai jamais : elles sont
une compresse sur une jambe de bois.
  Que tous ces politiciens qui se trompent
et qui, hier, fêtaient Bachar et détestaient
Poutine et qui, ce jour, détestent Bachar

et quémandent en direction de Poutine,
que tous ces professionnels de la politique
qui conduisent dangereusement la politique
étrangère de la France depuis vingt-cinq ans
en exposant les Français sans pouvoir les protéger quand ripostent ceux qu'ils agressent,
que tous ces assoiffés de pouvoir qui préfèrent se servir de la France plutôt que de la
servir, que ces pantins décérébrés qui traitent
de fasciste l'intellectuel qui pense en regard
de l'Histoire et non en regard de leur réélection, que ces gens-là, donc, manifestent
un peu de modestie et beaucoup de sens de
l'Histoire en convenant que la carte de la
paix aurait valu la peine d'être jouée. Il y
faut moins de testostérone et plus de matière
grise. Je ne me fais pas d'illusions, je souhaite
ce que je sais pourtant dès à présent perdu.
L'exercice de la pensée, déjà, est mort sous
les balles de cette guerre. Pas question pour
autant de ne pas l'honorer. Je crains, hélas,
trois fois hélas, que l'Histoire ne me donne
raison... J'aurais tant préféré avoir tort. Je me
serais tant réjoui, pour la France, de confes-
ser mes erreurs.

TABLE

DU MÊME AUTEUR

LE VENTRE DES PHILOSOPHES, *Critique de la raison diététique*, Grasset, 1989. LGF, 2009.

CYNISMES, *Portrait du philosophe en chien*, Grasset, 1990. LGF, 2007.

L'ART DE JOUIR, *Pour un matérialisme hédoniste*, Grasset, 1991. LGF, 2007.

L'ŒIL NOMADE, *La peinture de Jacques Pasquier*, Folle Avoine, 1993.

LA SCULPTURE DE SOI, *La morale esthétique*, Grasset, 1993 (Prix Médicis de l'essai). LGF, 2003.

LA RAISON GOURMANDE, *Philosophie du goût*, Grasset, 1995. LGF, 2008.

MÉTAPHYSIQUE DES RUINES, *La peinture de Monsu Desiderio*, Mollat, 1995. LGF, 2010.

LES FORMES DU TEMPS, *Théorie du sauternes*, Mollat, 1996. LGF, 2009.

POLITIQUE DU REBELLE, *Traité de résistance et d'insoumission*, Grasset, 1997. LGF, 2008.

HOMMAGE À BACHELARD, Ed. du Regard, 1998.

ARS MORIENDI, *Cent petits tableaux sur les avantages et les inconvénients de la mort*, Folle Avoine, 1998.

À CÔTÉ DU DÉSIR D'ÉTERNITÉ, *Fragments d'Égypte*, Mollat, 1998. LGF, 2006.

THÉORIE DU CORPS AMOUREUX, *Pour une érotique solaire*, Grasset, 2000. LGF, 2007.

PRÊTER N'EST PAS VOLER, Mille et une nuits, 2000.

ANTIMANUEL DE PHILOSOPHIE, *Leçons socratiques et alternatives*, Bréal, 2001.

ESTHÉTIQUE DU PÔLE NORD, *Stèles hyperboréennes*, Grasset, 2002. LGF, 2004.

PHYSIOLOGIE DE GEORGES PALANTE, *Pour un nietzschéisme de gauche*, Grasset, 2002. LGF, 2005.

L'INVENTION DU PLAISIR, *Fragments cyrénaïques*, LGF, 2002.

CÉLÉBRATION DU GÉNIE COLÉRIQUE, *Tombeau de Pierre Bourdieu*, Galilée, 2002.

LES ICÔNES PAÏENNES, *Variations sur Ernest Pignon-Ernest,* Galilée, 2003.

ARCHÉOLOGIE DU PRÉSENT, *Manifeste pour une esthétique cynique,* Grasset-Adam Biro, 2003.

FÉERIES ANATOMIQUES, *Généalogie du corps faustien,* Grasset, 2003. LGF, 2009.

ÉPIPHANIES DE LA SÉPARATION, *La peinture de Gilles Aillaud,* Galilée, 2004.

LA COMMUNAUTÉ PHILOSOPHIQUE, *Manifeste pour l'Université populaire,* Galilée, 2004.

LA PHILOSOPHIE FÉROCE, *Exercices anarchistes,* Galilée, 2004.

OXYMORIQUES, *Les photographies de Bettina Rheims,* Janninck, 2005.

TRAITÉ D'ATHÉOLOGIE, *Physique de la métaphysique,* Grasset, 2005. LGF, 2009.

SUITE À *LA COMMUNAUTÉ PHILOSOPHIQUE, Une machine à porter la voix,* Galilée, 2006.

TRACES DE FEUX FURIEUX, *La Philosophie féroce II,* Galilée, 2006.

SPLENDEUR DE LA CATASTROPHE, *La peinture de Vladimir Velickovic,* Galilée, 2007.

THÉORIE DU VOYAGE, *Poétique de la géographie,* LGF, 2007.

LA PENSÉE DE MIDI, *Archéologie d'une gauche libertaire,* Galilée, 2007.

FIXER DES VERTIGES, *Les photographies de Willy Ronis,* Galilée, 2007.

LA SAGESSE TRAGIQUE, *Du bon usage de Nietzsche,* LGF, 2008.

L'INNOCENCE DU DEVENIR, *La vie de Frédéric Nietzsche,* Galilée, 2008.

LA PUISSANCE D'EXISTER, *Manifeste hédoniste,* Grasset, 2006. LGF, 2008.

LE SONGE D'EICHMANN, Galilée, 2008.

LE CHIFFRE DE LA PEINTURE, *L'œuvre de Valerio Adami,* Galilée, 2008.

LE SOUCI DES PLAISIRS, *Construction d'une érotique solaire,* Flammarion, 2008. J'ai lu, 2010.

Les Bûchers de Bénarès, *Cosmos, Eros et Thanatos*, Galilée, 2008.

La Vitesse des simulacres, *Les sculptures de Pollès*, Galilée, 2008.

La Religion du poignard, *Éloge de Charlotte Corday*, Galilée, 2009.

L'Apiculteur et les Indiens, *La peinture de Gérard Garouste*, Galilée, 2009.

Le Corps de mon père, Hatier, 2009.

Le Recours aux forêts, *La tentation de Démocrite*, Galilée, 2009.

Philosopher comme un chien, *La Philosophie féroce III*, Galilée, 2010.

Nietzsche, se créer liberté, dessins de M. Leroy, Le Lombard, 2010.

Le Crépuscule d'une idole, *L'affabulation freudienne*, Grasset, 2010.

Apostille au *Crépuscule*, Grasset, 2010.

Journal hédoniste :

I. Le Désir d'être un volcan, Grasset, 1996. LGF, 2008.

II. Les Vertus de la foudre, Grasset, 1998. LGF, 2000.

III. L'Archipel des comètes, Grasset, 2001. LGF, 2002.

IV. La Lueur des orages désirés, Grasset, 2007.

Contre-Histoire de la philosophie :

I. Les Sagesses antiques, Grasset, 2006. LGF, 2007.

II. Le Christianisme hédoniste, Grasset, 2006. LGF, 2008.

III. Les Libertins baroques, Grasset, 2007. LGF, 2009.

IV. Les Ultras des Lumières, Grasset, 2007. LGF, 2009.

V. L'Eudémonisme social, Grasset, 2008. LGF, 2010.

VI. Les Radicalités existentielles, Grasset, 2009.
LGF, 2010.
VII. La Construction du Surhomme, Grasset, 2011.
VIII. Les Freudiens hérétiques, Grasset, 2012.
IX. Les Consciences réfractaires, Grasset, 2012.

Contre-Histoire de la philosophie en CD
(chez Frémeaux et associés) :

I. L'Archipel pré-chrétien (1), *De Leucippe à Épicure*, 2004, 12 CD.
II. L'Archipel pré-chrétien (2), *D'Épicure à Diogène d'Œnanda*, 2005, 11 CD.
III. La Résistance au christianisme (1), *De l'invention de Jésus au christianisme épicurien*, 2005, 12 CD.
IV. La Résistance au christianisme (2), *D'Érasme à Montaigne*, 2005, 12 CD.
V. Les Libertins baroques (1), *De Pierre Charron à Cyrano de Bergerac*, 2006, 12 CD.
VI. Les Libertins baroques (2), *De Gassendi à Spinoza*, 2006, 13 CD.
VII. Les Ultras des Lumières (1), *De Meslier à Maupertuis*, 2007, 13 CD.
VIII. Les Ultras des Lumières (2), *De Helvétius à Sade*, 2007, 12 CD.
IX. L'Eudémonisme social (1), *De Godwin à Stuart Mill*, 2008, 12 CD.
X. L'Eudémonisme social (2), *De Stuart Mill à Bakounine*, 2008, 13 CD.
XI. Le Siècle du Moi (1), *De Feuerbach à Schopenhauer*, 2009, 13 CD.
XII. Le Siècle du Moi (2), *De Schopenhauer à Stirner*, 2009, 12 CD.
XIII. La Construction du Surhomme, *D'Emerson à Guyau*, 2010, 12 CD.
XIV. Nietzsche, 2010, 13 CD.

Composition et mise en pages
Nord Compo à Villeneuve-d'Ascq

Cet ouvrage a été imprimé en France
par CPI
pour le compte des Éditions Grasset
en mars 2016

N° d'édition : 19369   N° d'impression : 134694
Première édition dépôt légal : mars 2016
Nouveau tirage dépôt légal : mars 2016